LLYWELY

Llywelyn ap Gruffydd yr arwr: cerflun yn Neuadd y Ddinas, Caerdydd

Llywelyn ap Gruffydd as hero: statue in the City Hall, Cardiff

A. D. Carr

LLYWELYN AP GRUFFYDD
? – 1282

GWASG PRIFYSGOL CYMRU
UNIVERSITY OF WALES PRESS
1982

British Library Cataloguing in Publication Data

Carr, A. D.
  Llywelyn ap Gruffydd —
  (St David's Day bilingual series)
  1. Llywelyn ap Gruffydd
  2. Wales – Kings and rulers – Biography
  I. Title   II. Series
942.9'034'0924   DA716.L/

ISBN 0–7083–0815–5

Cynlluniwyd y clawr gan Dragonfly Design, Caerdydd. Dymuna'r cyhoeddwyr gydnabod cyfarwyddyd a chymorth Adran Ddylunio'r Cyngor Llyfrau Cymraeg a noddir gan Gyngor Celfyddydau Cymru.

Cover design by Dragonfly Design, Cardiff. The publishers wish to acknowledge the advice and assistance given by the Design Department of the Welsh Books Council which is supported by the Welsh Arts Council.

ARGRAFFWYR CSP, CAERDYDD
CSP PRINTING OF CARDIFF

ER COF AM
IN MEMORY OF
KEITH WILLIAMS-JONES
1925–1979

RHAGAIR

Un testun yn unig oedd yn addas ar gyfer llyfryn Gŵyl Dewi 1982. Eleni yw saithcanmlwyddiant marw Llywelyn ap Gruffydd, y Cymro cyntaf a'r olaf i fod yn dywysog Cymru. Y mae ei enw ac amgylchiadau ei farwolaeth yn gyfarwydd i bob Cymro, ond nid yw ei yrfa mor adnabyddus na'r rhesymau pam y daeth ei deyrnasiad i ben yn y fath ffordd. Yn ystod yr ugain mlynedd diwethaf cynyddodd y diddordeb yn hanes Cymru ac fe dyfodd ymwybyddiaeth newydd yn ein gorffennol. Ymgais yw'r llyfryn hwn i gasglu'r hyn a wyddom am Lywelyn ac i geisio esbonio ei amcanion ef a'i ragflaenwyr. Y mae llawer o waith eto i'w wneud a rhaid aros am astudiaeth ddofn o Lywelyn; 'rydym i gyd yn edrych ymlaen at gyfrol arfaethedig Mr J. Beverley Smith. Ond rhaid gobeithio y bydd yr ymdriniaeth fer hon yn galluogi'r darllenwyr i ddysgu mwy am un o wŷr mawr ein hanes; y mae balchder cenedlaethol yn gymaint gwell o'i seilio yn gadarn ar ffeithiau hanes.

Cefais gymorth llawer un wrth baratoi'r gyfrol hon. 'Rwyf yn ddyledus iawn i Mr D. R. Williams, Penarth, am ei ganiatâd parod i atgynhyrchu tri map o lyfr y diweddar Athro William Rees, *An Historical Atlas of Wales*. 'Rwyf yn ddiolchgar hefyd i Ddinas Caerdydd am ganiatâd i gynnwys ffotograff o'r cerflun o Lywelyn sydd yn Neuadd y Ddinas fel wynebddalen ac i Lyfrgell Genedlaethol Cymru am ganiatâd i atgynhyrchu llun Sparrow o gastell Dolforwyn, 1787. Daw'r dyfyniad o farwnad Gruffydd ab yr Ynad Coch o *The Oxford Book of Welsh Verse*, golygydd Thomas Parry (1962) drwy ganiatâd Gwasg Prifysgol Rhydychen ac y mae'r cyfieithiad Saesneg o *The Penguin Book of Welsh Verse* gan Anthony Conran (1967); 'rwyf yn ddiolchgar i Mr Conran am ei gymwynas barod yn gadael imi ei ddefnyddio. Hoffwn ddiolch hefyd i Mr C. J. Spurgeon o Gomisiwn Brenhinol yr Henebion yng Nghymru a Mynwy, i Lyfrgellydd y Sir, Powys, i Ymddiriedolaeth Archaeolegol Clwyd-Powys Cyf., i Fwrdd Croeso Cymru, i'r Parch. Ganon J. R. Fenwick, Llyfrgellydd eglwys gadeiriol Caerwrangon ac i Mr Richard Lockett o Amgueddfa Dinas Birmingham am eu help ag ymholiadau ac am y

PREFACE

There could be only one possible topic for the St. David's Day booklet in 1982. This year marks the seventh centenary of the death of Llywelyn ap Gruffydd, the first and last native prince of Wales. His name and the circumstances of his death are known to every Welshman but less is generally known of his career or of why his reign ended as it did. The last two decades have seen a new interest in the history of Wales and a new awareness of our past and this little book is an attempt to set out what is known about Llywelyn and to try to explain what he and his predecessors were trying to do. A great deal of work remains to be done and a major study of Llywelyn has yet to be written; we all look forward to Mr J. Beverley Smith's promised volume. But it is hoped that this brief account will enable its readers to know more about one of the leading figures in our history; national pride is all the better for being based on sound historical foundations.

Many people have helped in the preparation of this volume. I am particularly indebted to Mr D. R. Williams of Penarth for his ready consent to the reproduction of three maps from the late Professor William Rees's *Historical Atlas of Wales*. I am likewise grateful to the City of Cardiff for permission to reproduce the photograph of the statue of Llywelyn in the City Hall which appears as the frontispiece and to the National Library of Wales for permission to reproduce Sparrow's 1787 print of Dolforwyn castle. The quotation from Gruffydd ab yr Ynad Coch's elegy comes from *The Oxford Book of Welsh Verse*, edited by Thomas Parry (1962) and appears by permission of the Oxford University Press; the English translation is from *The Penguin Book of Welsh Verse* by Anthony Conran (1967) and I am grateful to Mr Conran for so readily giving me permission to reproduce it. I am also indebted to Mr C. J. Spurgeon of the Royal Commission on Ancient and Historical Monuments in Wales and Monmouthshire, to the County Librarian of Powys, to the Clwyd-Powys Archaeological Trust Ltd., to the Wales Tourist Board, to the Reverend Canon J. R. Fenwick, Librarian of Worcester Cathedral and to Mr Richard Lockett of the City of Birmingham Museum for their help with

drafferth a gymerasant i'w hateb. 'Rwyf yn ddyledus iawn i'r Athro J. Gwynn Williams, M.A., am ei gefnogaeth a bu Mr John Rhys M.A., Cyfarwyddwr Gwasg Prifysgol Cymru, yn barod iawn â'i gymorth a'i gyngor wrth baratoi'r llyfr hwn ar gyfer y wasg. Teipiwyd y gwaith gan Miss Nêst Roberts yn ei ffordd ofalus arferol a darllennodd fy mab Richard yr holl lyfr cyn iddo fynd i'r wasg a rhoi ei sylwadau arno o safbwynt disgybl ysgol uwchradd. 'Yn bennaf 'rwyf yn ddiolchgar i'm gwraig, Glenda, am ei chymorth dyfal a'i diddordeb.

Fy nghyfaill a'm cydweithiwr, y diweddar Keith Williams-Jones, uwch ddarlithydd yn Hanes Cymru yn y coleg hwn, oedd i fod i ysgrifennu'r llyfr hwn; yr oedd ei farwolaeth gynnar yn 1979 yn golled drom i astudiaethau hanes Cymru. Addas, felly, yw fod y gyfrol hon yn cael ei chyflwyno er cof amdano.

Coleg Prifysgol Gogledd Cymru, Bangor   A. D. CARR

various enquiries and the trouble they took in answering them. I owe much to the encouragement and support of Professor J. Gwynn Williams M.A., while Mr John Rhys M.A., the Director of the University of Wales Press, has been a constant source of help and advice in preparing this book and in seeing it through the press. Miss Nêst Roberts typed the manuscript with her usual care and attention and my son Richard read the whole book before it went to press and commented on it from the point of view of a secondary school pupil. Above all, I am grateful to my wife Glenda for her constant help and interest.

This book was to have been written by my friend and colleague, the late Keith Williams-Jones, Senior Lecturer in Welsh History at this College, whose untimely death in 1979 was so grievous a loss to Welsh historical studies. It is only fitting that it should be dedicated to his memory.

University College of North Wales, Bangor   A. D. CARR

Llywelyn ap Gruffydd

? – 1282

I

Gŵyr pawb fod 1282 yn ddyddiad pwysig ac, mewn llawer
ffordd, yn ddyddiad tyngedfennol yn ein hanes. Ar ddiwedd y
flwyddyn honno lladdwyd Llywelyn ap Gruffydd, tywysog
Cymru, mewn ysgarmes ger Llanfair-ym-Muallt ac aeth ei
dywysogaeth i feddiant Edward I, brenin Lloegr. Ond pwy yn
union oedd Llywelyn ap Gruffydd? Sut y daeth ef i lywodraethu ar
gymaint o Gymru? Pam y daeth ei deyrnasiad i ben yn y fath
ffordd?

Nid un deyrnas dan un brenin fel Lloegr neu'r Alban oedd
Cymru'r drydedd ganrif ar ddeg. Yr oedd hi wedi cynnwys nifer o
wledydd o'r dechrau, a Gwynedd, Powys, Deheubarth a
Morgannwg oedd y pwysicaf ohonynt. Yr oedd gan bob un o'r
gwledydd hyn ei theulu brenhinol ei hun a hefyd ei ddiddordebau ei
hun; nid oedd polisi a oedd yn fanteisiol i Wynedd, er enghraifft, o
anghenraid yn fuddiol i Bowys. Ymgais un brenin i ddod â
gwledydd eraill dan ei reolaeth oedd patrwm traddodiadol
gwleidyddiaeth fewnol yng Nghymru; digwyddodd hyn yn amser
Rhodri Mawr (m. 878) yn y nawfed ganrif, Hywel Dda (m. 950) yn
y ddegfed ganrif a Gruffydd ap Llywelyn (m. 1063) yn yr unfed
ganrif ar ddeg. Ond peth dros dro oedd y fath undod. Ni allodd un
o'r brenhinoedd hyn greu teyrnas Gymreig o'i diroedd ac ar ôl ei
farw aeth pob gwlad i'w ffordd ei hun unwaith eto.

Daeth newid i Gymru o ddifrif yn ail hanner yr unfed ganrif ar
ddeg. Cyrhaeddodd y Normaniaid Gymru cyn hir ar ôl brwydr
Hastings a choncwest Lloegr yn 1066. Ymhen hanner canrif yr

Llywelyn ap Gruffydd
? – 1282

I

We all know that 1282 was an important, and in many ways a tragic, date in the history of Wales. At the end of that year Llywelyn ap Gruffydd, prince of Wales, was killed in a skirmish near Builth and his principality passed into the hands of King Edward I of England. But who exactly was Llywelyn ap Gruffydd, how had he come to rule over so much of Wales and why did his reign end as it did?

Wales in the thirteenth century was not a single kingdom under one ruler as were England and Scotland. It had always been made up of a number of kingdoms, the most important of which were Gwynedd, Powys, Deheubarth and Morgannwg. Each of these had its own dynasty and each, too, had its own interests; a policy which benefited Gwynedd, for example, might not always be good for Powys. Internal Welsh politics often involved one ruler trying to win control of other kingdoms and this did happen from time to time, as with Rhodri Mawr (d. 878) in the ninth century, Hywel Dda (d. 950) in the tenth and Gruffydd ap Llywelyn (d. 1063) in the eleventh. But such unity was only temporary. Not one of these rulers was able to create a single Welsh kingdom out of his conquests and when he died each kingdom went its own way.

Change really began in the second half of the eleventh century. After the battle of Hastings in 1066 and the Norman conquest of England it was not long before the Normans reached Wales. Within half a century or so much of the country, including the kingdom of

oedd rhan helaeth o'r wlad, gan gynnwys holl deyrnas Morgannwg, yn eu meddiant trwy goncwest. O hyn ymlaen ceid rhaniad sylfaenol yng Nghymru rhwng y gwledydd a'r arglwyddiaethau a barhâi ym meddiant y teuluoedd brenhinol Cymreig, a oedd gan mwyaf yn y gogledd a'r gorllewin, a'r tiroedd a oedd ym meddiant arglwyddi Normanaidd ac a oedd fel rheol yn y de a'r dwyrain. Adwaenid y tiroedd hyn fel *y mers*. Ardal ar y ffin yw ystyr wreiddiol y gair, ac adwaenid y rhai a lywodraethai yno fel *arglwyddi'r mers*.

Dysgodd y brenhinoedd Cymreig lawer oddi wrth y Normaniaid; dysgasant ddigon am dacteg filwrol i'w hamddiffyn eu hunain yn llwyddiannus. Gwynedd oedd y gryfaf o'r gwledydd Cymreig fel rheol ac yr oedd gan Wynedd ddau frenin hynod o alluog a lwyddodd i ymestyn ei ffiniau yn y ddeuddegfed ganrif, sef Gruffydd ap Cynan (1081–1137) ac Owain Gwynedd (1137--1170). Erbyn 1170 cynhwysai Gwynedd y rhan fwyaf o ogledd Cymru ac yr oedd yn ddigon ffodus i osgoi tynged y gwledydd eraill. Rhannwyd Powys yn ddwy ar ôl marw Madog ap Maredudd yn 1160 a phan fu farw arweinydd mwyaf Deheubarth, yr Arglwydd Rhys, yn 1197, nid oedd un o'i feibion yn ddigon cryf i lenwi ei le. Rhannwyd yr etifeddiaeth rhwng y meibion a daeth Deheubarth fel uned wleidyddol i ben. Yr unig arweinydd cenedlaethol posibl yng Nghymru, felly, oedd tywysog Gwynedd; mae'n debyg fod y llywodraethwyr Cymreig wedi rhoi'r gorau i'w galw eu hunain yn frenhinoedd erbyn hyn.

Erbyn 1200 yr oedd Gwynedd dan reolaeth ŵyr Owain Gwynedd, Llywelyn ab Iorwerth neu Lywelyn Fawr. Yr oedd ei yrfa ym mlynyddoedd cynnar ei deyrnasiad yn bur amrywiol ond mewn cytundeb a wnaeth â brenin Ffrainc yn 1212 siaradodd ar ran y tywysogion eraill yn ogystal â throsto ef ei hun, ac yn 1216 cynhaliwyd cyfarfod ohonynt yn Aberdyfi dan ei lywyddiaeth. Mae'n bosibl bod y tywysogion eraill wedi talu gwrogaeth iddo a'i dderbyn yn ben-arglwydd yn y cyfarfod hwn; os yw hyn yn wir, mae'n dangos maint y newid yng ngwleidyddiaeth Cymru.

Gwlad a rannwyd rhwng nifer o frenhinoedd oedd Cymru yn wreiddiol ond yn awr ceid un tywysog a nifer o arglwyddi. O hyn ymlaen amcan tywysogion Gwynedd oedd perswadio neu orfodi

Morgannwg, had passed by conquest into their possession. From now on there was a division in Wales between those kingdoms and lordships ruled by Welsh dynasties, which were largely in the north and west, and those territories ruled by Norman lords which were largely in the south and east. These territories were known as *the march* (the word means a frontier zone) and those who ruled them were called *marcher lords*.

Welsh rulers learned much from the Normans and what they learned of military tactics enabled them to defend themselves successfully. Gwynedd was generally the most powerful of the Welsh kingdoms and it had two outstanding rulers in the twelfth century, Gruffydd ap Cynan (1081–1137) and Owain Gwynedd (1137–1170), who were able to extend its territory. By 1170 Gwynedd comprised most of north Wales and it was fortunate enough to escape the fate of the other leading kingdoms. Powys was divided in two after the death of Madog ap Maredudd in 1160 and when Deheubarth's greatest ruler, the Lord Rhys, died in 1197 none of his sons was strong enough to take his place. The inheritance was divided among them and Deheubarth ceased to exist as a political unit. This meant that there was now only one potential national ruler in Wales and that was the prince of Gwynedd; by this time Welsh rulers seem to have ceased to call themselves kings.

By 1200 Gwynedd was ruled by Owain Gwynedd's grandson Llywelyn ab Iorwerth or Llywelyn the Great. For the first few years of his reign his fortunes varied but in 1212 he made a treaty with the king of France in which he spoke for the other rulers as well as himself, and in 1216 he presided over a meeting of them at Aberdyfi. At this meeting they may have done homage to him and accepted him as their overlord and this showed just how much Welsh politics had changed.

Wales had once been a land of many kings but now there was one prince and many lords. From now on the aim of the princes of Gwynedd was to persuade or force as many of their fellow-rulers as

cymaint o'u cyd-arglwyddi â phosibl i dalu gwrogaeth iddynt hwy yn hytrach nag i frenin Lloegr. Ni fwriadai'r tywysogion wrthod gwrogaeth i'r brenin; eu dymuniad oedd gwneud gwrogaeth ar ran yr arglwyddi Cymreig eraill a oedd wedi talu gwrogaeth iddynt hwy yn barod. Gwneud eu hunain yn ben-arglwyddi ar yr arglwyddi eraill a pherswadio brenin Lloegr i dderbyn eu gwrogaeth dros Gymru gyfan oedd eu hamcan. Yng ngeiriau un hanesydd, 'byddai tywysog Gwynedd yn faen clo mewn bwa o frenhinoedd'.

Ceisiai'r tywysogion newid holl batrwm gwleidyddiaeth Cymru. Sylweddolai'r arglwyddi eraill fod y polisi hwn yn fygythiad i'w hannibyniaeth; yn wir, yr oedd sail i'w hofnau. Un o arwyddion yr annibyniaeth hon oedd y ffaith fod pob arglwydd wedi gwneud gwrogaeth uniongyrchol i frenin Lloegr ond yn awr safai pen-arglwydd newydd rhyngddynt a'r goron ac yr oedd y pen-arglwydd hwn yn un ohonynt eu hunain. Yr oedd yr arglwyddi Cymreig yn ddynion balch a theimlent yn ddig iawn oherwydd y newid hwn; medrodd brenin Lloegr fanteisio ar eu dicter mwy nag unwaith. Gallai Cymru unedig fod yn Gymru beryglus o safbwynt y brenin. Deallodd Henry III (1216–1272) yn dda iawn beth oedd amcan y tywysogion a gwnaeth ei orau i'w hatal. Llwyddodd i raddau helaeth yn ystod teyrnasiad Dafydd, mab Llywelyn ab Iorwerth (1240–1246), a dinistriwyd llawer o waith Llywelyn.

Magwyd Llywelyn ap Gruffydd yn y byd gwleidyddol hwn. Yr oedd yn gyfnod o newid, nid yn unig yn safle tywysog Gwynedd a'i berthynas â'i gyd-arglwyddi ond hefyd yn gyffredinol. Gwelodd y drydedd ganrif ar ddeg newidiadau yn y gyfraith Gymreig, Cyfraith Hywel Dda; cryfhau safle'r tywysog oedd bwriad rhai o'r newidiadau hyn. Yr oedd gwaith llywodraethu wedi dod yn fwy cymhleth trwy Ewrop ac yr oedd ar y tywysog angen swyddogion effeithiol yng Ngwynedd. Canlyniad yr angen hwn oedd twf rhai teuluoedd a wobrwywyd am eu gwasanaeth da â thiroedd a breintiau; yr enghraifft fwyaf adnabyddus o'r teuluoedd hyn oedd disgynyddion Ednyfed Fychan a wasanaethodd Lywelyn ab Iorwerth a Dafydd ap Llywelyn fel distain o 1215 hyd ei farw yn 1246. Dilynwyd Ednyfed yn ei swydd gan ddau o'i feibion ac yn 1485 daeth un o'i ddisgynyddion, Harri Tudur, yn frenin Lloegr fel Henry VII.

possible to do homage to them and not to the king of England. They had no intention of refusing homage to the king but they wished to do it on behalf of all the rulers who had done it to them. Their object was to make themselves the overlords of the other rulers and to persuade the king of England to accept their homage for the whole of Wales. In the words of one historian 'the prince of Gwynedd was to be the keystone in an arch of kings'.

What the princes were trying to do was to change the whole pattern of Welsh politics. Other rulers saw this as a threat to their independence as, indeed, it was. One of the signs of this independence was that each ruler had done homage to the king of England but now a new overlord stood between them and the crown, and this overlord was one of themselves. They were proud men and they resented this change; the king of England was more than once able to take advantage of this resentment. To the king a united Wales could be a dangerous Wales and Henry III (1216–1272) understood very well what the princes were trying to do and did all he could to prevent it. In the reign of Llywelyn ab Iorwerth's son Dafydd (1240–1246) he was successful and much of Llywelyn's work was undone.

This was the political world in which Llywelyn ap Gruffydd grew up. It was a time of change and this change was not only in the position of the prince of Gwynedd and his relations with his fellow-rulers. The thirteenth century saw changes in Welsh law, the law of Hywel Dda, some of which were intended to strengthen the position of the prince. All over Europe the work of government had become more complicated and in Gwynedd, too, the prince needed efficient officials. This led to the rise of some families who were rewarded with land and privileges for their good service; the best-known of these were the descendants of Ednyfed Fychan who served Llywelyn ab Iorwerth and Dafydd ap Llywelyn as steward from 1215 until his death in 1246. Two of his sons followed him in the same office and it was a descendant of Ednyfed, Henry Tudor, who in 1485 became King Henry VII of England.

Bu'n rhaid i'r tywysogion gael arian i dalu am bolisi mwy uchelgeisiol a daeth yr angen hwn â mwy o newidiadau yn ei sgil. Yr oedd rhenti mewn arian parod wedi cymryd lle'r doniau bwyd a'r gwasanaethau llafur traddodiadol a dalasid iddynt gan eu deiliaid bob blwyddyn. Hyrwyddid masnach; y canlyniad oedd datblygiad trefi bychain fel Nefyn, Pwllheli a Llan-faes ym Môn yn ganolfannau masnachu. Yr oedd rhaid gwario llawer o'r arian hwn ar ryfel, ar arfau ac ar adeiladu cestyll. Amddiffynid ffiniau Gwynedd gan gestyll fel Ewlo ger Caer a Chastell-y-Bere ym Meirionnydd, a pherfeddion Eryri gan Ddolbadarn ger Llanberis a Dolwyddelan. Yr oedd gan Lywelyn ap Gruffydd lynges fach hefyd ym Môr Iwerddon.

II

Yr oedd Llywelyn ap Gruffydd yn ail fab i Gruffydd, yr hynaf o ddau fab Llywelyn ab Iorwerth, ac y mae'n debyg y ganwyd ef rywbryd rhwng 1225 a 1230. Yr oedd yn ddisgynnydd i Owain Gwynedd ar y ddwy ochr; Senena, merch Caradog ap Thomas ap Rhodri ab Owain Gwynedd oedd ei fam. Dewisodd Llywelyn Fawr ei ail fab Dafydd yn etifedd iddo ac mae'n bosibl fod y dewis hwn yn un o'r rhesymau bod perthynas Gruffydd â'i dad yn wael fel rheol. Treuliodd Gruffydd rai blynyddoedd yn garcharor; yn wir, pan fu farw Llywelyn Fawr yn 1240 yr oedd ef a'i fab hynaf Owain yn garcharorion yng nghastell Cricieth. Arhosodd y ddau yna hyd 1241 pan gytunodd Dafydd yng Nghytundeb Gwern Eigron i'w trosglwyddo i'r brenin Henry III. Yr oedd Gruffydd yn werthfawr iawn i'r brenin; gwyddai Dafydd y byddai Henry yn anfon ei frawd yn ôl i Wynedd dan adain byddin frenhinol i hawlio ei ran o'i dreftadaeth pe bai Dafydd yn mynd yn rhy bell. Yn wir, yr oedd Gruffydd mor bwysig i'r brenin fel y cedwid ef yn Nhŵr Llundain; lladdwyd ef pan geisiodd ddianc o'r Tŵr ar Ddydd Gŵyl Dewi 1244.

Yr oedd Owain a'r ddau frawd iau, Dafydd a Rhodri, yn byw yn Lloegr dan nawdd y brenin ond mae'n debyg fod Llywelyn yng Nghymru trwy gydol y cyfnod hwn. Y mae'r dystiolaeth brin sydd ar gael yn awgrymu ei fod o blaid ei ewythr yn hytrach na'i dad.

To pay for a more ambitious policy the princes needed money and this in turn brought more change. Their subjects had owed them regular gifts of food and labour and these were now replaced by rents which were paid in cash. Trade was encouraged and the result was the growth of small towns like Llan-faes in Anglesey, Nefyn and Pwllheli as trading centres. Much of this money had to be spent on war, on military equipment and on the building of castles. The borders of Gwynedd were defended by castles like Ewloe near Chester and Castell-y-Bere in Meirionnydd, and the heartland of Snowdonia by Dolbadarn near Llanberis and Dolwyddelan. Llywelyn ap Gruffydd also had a small fleet which operated in the Irish Sea.

II

Llywelyn ap Gruffydd was the second son of Gruffydd, the elder son of Llywelyn ab Iorwerth, and he was probably born some time between 1225 and 1230. He was descended on both sides from Owain Gwynedd since his mother was Senena, daughter of Caradog ap Thomas ap Rhodri ab Owain Gwynedd. His father's younger brother Dafydd was Llywelyn the Great's chosen heir and this may be one reason why Gruffydd's relations with his father were usually bad. He spent several years in prison; indeed, when Llywelyn the Great died in 1240 Gruffydd and his eldest son Owain were both prisoners in Cricieth castle. They remained there until 1241 when Dafydd agreed in the Treaty of Gwern Eigron to hand them over to Henry III. Gruffydd was very valuable to the king; Dafydd knew that if he displeased Henry in any way Gruffydd would be sent back to Gwynedd with a royal army to claim his rights as Llywelyn's son. In fact Gruffydd was so important to the king that he was kept in the Tower of London and it was in an attempt to escape from the Tower that he was killed on St. David's Day 1244.

Owain and the two younger brothers Dafydd and Rhodri were living in England under the king's protection but Llywelyn seems to have been in Wales all through this period. What little evidence we have suggests that he supported his uncle rather than his father.

Ymddangosodd ei enw am y tro cyntaf, hyd y gwyddom, mewn gweithred ym Medi 1243 pan roddodd ei holl diroedd i Einion ap Maredudd o Ddyffryn Clwyd. Y mae hyn yn awgrymu mai yng ngogledd-ddwyrain Cymru yr oedd ei diroedd ar y pryd. Daw'r cyfeiriad cyntaf ato mewn dogfen swyddogol o Ionawr 1245 pan gynhwyswyd ei enw mewn rhestr o arglwyddi o ogledd Cymru a oedd am gael eu gwysio i dalu gwrogaeth i Henry III. Y mae'n bosibl fod ganddo ryw gysylltiad hefyd â Maelienydd a Gwerthrynion, dwy ardal yng nghanolbarth Cymru a ddaeth yn ddiweddarach yn rhan o sir Faesyfed; rywbryd cyn 1246 ildiodd ei hawliau yno i Ralph Mortimer a'i wraig Gwladus a oedd, fel mae'n digwydd, yn fodryb iddo. Yr oedd y ddwy arglwyddiaeth hon wedi bod ym meddiant y Mortimeriaid cyn iddynt gael eu hadennill gan Lywelyn Fawr; adferwyd y ddwy i Mortimer dan amodau Cytundeb Caerloyw yn 1240.

Dechreuodd rhyfel newydd ar ôl marw Gruffydd ond bu farw Dafydd ap Llywelyn yn sydyn yn Chwefror 1246. Llywelyn oedd yr unig aelod o'r teulu brenhinol yng Ngwynedd ar y pryd ac ef, felly, oedd olynydd naturiol Dafydd. Ond yr oedd ei frawd hŷn Owain yn byw ger Caer a chyn gynted ag y clywodd Owain am farw Dafydd, dychwelodd i Wynedd i hawlio ei ran o'r etifeddiaeth. Perswadiwyd y ddau frawd i rannu'r dywysogaeth rhyngddynt; byddai unrhyw benderfyniad arall wedi bod yn beth ffôl a byddin Seisnig yn symud yn erbyn Gwynedd. Cyrhaeddodd y fyddin frenhinol Ddegannwy ac yn wyneb hyn, yn ogystal ag effeithiau newyn y flwyddyn gynt, nid oedd gan Owain a Llywelyn unrhyw ddewis. Bu raid iddynt ymostwng ac ar 30 Ebrill 1247 gwnaethpwyd Cytundeb Woodstock. Yr oedd amodau Cytundeb Woodstock yn llym iawn ar Wynedd. Yr oedd rhaid i'r tywysogion gytuno i roi gwasanaeth milwrol i'r brenin yn ogystal â gwneud gwrogaeth. Mewn geiriau eraill, ystyriai Henry III y ddau frawd yn ddau o'i arglwyddi ac nid yn dywysogion annibynnol fel brenin yr Alban. Yr oedd gan Henry bolisi pendant tuag at Gymru ac yn 1247 ymdangosai'r polisi hwn yn un llwyddiannus iawn. Yr oedd Llywelyn ab Iorwerth wedi rheoli'r rhan fwyaf o Gymru ond saith mlynedd ar ôl ei farw yr oedd y sefyllfa wleidyddol wedi newid yn llwyr.

His first known appearance was in a deed of September 1243 in which he granted all his lands to Einion ap Maredudd of Dyffryn Clwyd. This may mean that he had lands in north-east Wales at this time. The first mention of him in an official document was in January 1245 when his name was included in a list of those north Wales lords who were to be summoned to do homage to Henry III. He also seems to have had some connection with Maelienydd and Gwerthrynion, two territories in mid-Wales which later formed part of Radnorshire; some time before 1246 he gave up all his rights there to Ralph Mortimer and his wife Gwladus who was, in fact, Llywelyn's aunt. These two lordships had belonged to the Mortimer family but had been won back by Llywelyn's grandfather; they had to be returned to Mortimer under the Treaty of Gloucester of 1240.

After Gruffydd's death war broke out again but in February 1246 Dafydd ap Llywelyn died suddenly. Llywelyn was the only member of the dynasty in Gwynedd at the time and was therefore the obvious choice as Dafydd's successor. But his elder brother Owain was living near Chester and as soon as he heard of Dafydd's death he returned to Gwynedd to claim his share. The brothers were persuaded to divide the principality between them; with an English army moving against Gwynedd they would have been foolish to have done anything else. The royal army reached Degannwy and faced with this and with the effects of a famine the year before Owain and Llywelyn had no choice. They had to submit and the result was the Treaty of Woodstock of 30 April 1247. For Gwynedd the terms of the Treaty of Woodstock were harsh. As well as doing homage to the king the princes had to agree to do military service. This meant that Henry III regarded them as two more of his lords and not as independent rulers like the king of Scotland. Henry had a clear Welsh policy and in 1247 it seemed to be very close to success. Llywelyn ab Iorwerth had controlled the greater part of Wales but seven years after his death the political situation had changed completely.

Ni allai'r brenin wneud llawer mwy. Wynebai broblemau yn Lloegr ac nid oedd ganddo lawer o amser i ystyried Cymru yn y blynyddoedd ar ôl Cytundeb Woodstock. Llywelyn oedd y mwyaf galluog o'r ddau dywysog ac yn 1250 gwnaeth gynghrair â Gruffydd ap Madog o ogledd Powys, un o'r arglwyddi Cymreig amlycaf tu allan i Wynedd. Yn hydref 1251 trefnwyd cynghrair arall rhwng Llywelyn ac Owain a Maredudd ap Rhys Gryg a'i nai Rhys Fychan, dau aelod o hen deulu brenhinol Deheubarth; pwrpas y cynghrair hwn oedd 'cynorthwyo ein gilydd yn erbyn pob dyn fel pe baem yn frodyr a chymdogion'. Ond ni allai Gwynedd wneud llawer tra rhennid awdurdod rhwng dau dywysog a daeth terfyn ar y broblem yn 1255 pan gwerylodd y brodyr â'i gilydd. Ym mrwydr Bryn Derwin ar ffiniau Arfon ac Eifionydd trechodd Llywelyn Owain a'u brawd ieuengaf Dafydd yr oeddynt wedi rhoi tiroedd yn Llŷn iddo yn 1252. Carcharwyd Owain a Dafydd a pharhaodd Owain yn garcharor hyd 1277.

Yr oedd Llywelyn yn awr yn feistr ar Wynedd a chyn hir gallodd ymestyn ei ffiniau. Yn 1254 rhoddodd y brenin y Berfeddwlad, sef y rhan honno o ogledd Cymru rhwng afonydd Conwy a Dyfrdwy, i'w fab, yr Arglwydd Edward. Cynrychiolydd Edward yn y tiroedd hyn oedd Geoffrey de Langley ac yr oedd ei lywodraeth ormesol wedi ei wneud ef a'i feistr yn amhoblogaidd. Ffurfiai'r Berfeddwlad yr hanner dwyreiniol o Wynedd mewn gwirionedd er bod yr ardal yn aml dan reolaeth Seisnig; dibynnai ei statws gwleidyddol fel rheol ar rym tywysog Gwynedd a brenin Lloegr. Yn 1256 gwrthryfelodd trigolion y Berfeddwlad; apeliasant at Lywelyn am gymorth. O fewn wythnos yr oedd yr holl ranbarth, ar wahân i gestyll Diserth a Degannwy, yn ei feddiant ac ni fedrodd Edward wneud dim; nid oedd ganddo ef na'i dad arian i dalu am ymgyrch a phrin oedd y cymorth y medrai'r ddau ei ddisgwyl oddi wrth farwniaid Lloegr yr oedd ganddynt eu cwynion eu hunain yn erbyn Henry a'i lywodraeth.

Nid oedd hyn ond cychwyn. Goresgynnodd Llywelyn Feirionnydd a gyrrwyd allan ei harglwydd, Llywelyn ap Maredudd. Symudodd ymlaen i Geredigion ac Ystrad Tywi. Ni chadwodd y tywysog unrhyw ran o'r tiroedd a adfeddiannodd; trosglwyddwyd y cwbl i rai o ddisgynyddion yr Arglwydd Rhys. Cipiwyd Dinefwr, sedd draddodiadol brenhinoedd Deheubarth,

But the king was not able to do much more. He was faced with problems in England and this meant that he had little time to spare for Wales in the years after the Treaty of Woodstock. Llywelyn was the more able of the two princes and in 1250 he made an alliance with Gruffydd ap Madog of northern Powys, one of the leading Welsh rulers outside Gwynedd. This was followed in the autumn of 1251 by a further pact between Llywelyn and Owain and Maredudd ap Rhys Gryg and his nephew Rhys Fychan, two members of the royal house of Deheubarth; the aim of this alliance was 'to help each other against all living men as though we were brothers and neighbours'. But Gwynedd could not do very much as long as it was divided between two rulers and the problem was resolved in 1255 when the brothers quarrelled. In the battle of Bryn Derwin on the borders of Arfon and Eifionydd Llywelyn defeated Owain and their youngest brother Dafydd to whom they had granted lands in Llŷn in 1252. Owain and Dafydd were both imprisoned and Owain remained a prisoner until 1277.

Llywelyn was now master of Gwynedd and he was soon able to add to his lands. In 1254 the Four Cantrefs, that part of north Wales which lay between the Conwy and the Dee, had been granted by the king to his son, the Lord Edward. Edward was represented there by Geoffrey de Langley whose harsh government had made him and his master unpopular. The Four Cantrefs were really the eastern half of Gwynedd although they were often under English rule; who controlled them really depended on the strength of the prince of Gwynedd and the king of England at any given time. In 1256 the people of the Four Cantrefs rebelled and appealed to Llywelyn for aid. Within a week he had occupied the whole region apart from the castles of Diserth and Degannwy and Edward could do nothing; neither he nor his father had any money to pay for a campaign and they could expect little help from the English barons who had complaints of their own about Henry's rule.

This was only the beginning. At the end of 1256 Llywelyn invaded Meirionnydd and drove out its lord, Llywelyn ap Maredudd. He moved on into Ceredigion and Ystrad Tywi where he kept nothing for himself but handed his conquests over to some of the descendants of the Lord Rhys. Dinefwr, the traditional seat

oddi ar Rys Fychan a'i rhoi i Faredudd ap Rhys Gryg. Cipiwyd Gwerthrynion oddi ar Roger Mortimer ond cadwodd Llywelyn yn ei feddiant ei hun yr ardal allweddol hon a oedd ar y ffin. Yn gynnar yn 1257 trodd at Bowys; yr oedd wedi gyrru allan ei gyngynghreiriad Gruffydd ap Madog o ogledd Powys ac yn awr ymosododd ar Gruffydd ap Gwenwynwyn, arglwydd y rhan ddeheuol o'r arglwyddiaeth honno, a llosgodd y Trallwng. Mis yn ddiweddarach yr oedd yn y De, yn y tiroedd rhwng afonydd Tawe a Thywi, ac ysbeiliwyd Trefaldwyn yn niwedd Mawrth.

Gofynnodd Rhys Fychan, a yrrwyd o Ddinefwr y flwyddyn gynt, am gymorth y brenin i'w hennill yn ôl a chychwynnodd byddin frenhinol o Gaerfyrddin. Wynebwyd milwyr y brenin gan fyddin fwy o Gymry dan arweiniad Maredudd ap Rhys Gryg ac arglwydd arall o Ddeheubarth, Maredudd ab Owain. Yng Nghymerau ar 2 Mehefin 1257 newidiodd Rhys Fychan ei ochr yn sydyn a gyrrwyd y fyddin frenhinol ar ffo. Dilynwyd y fuddugoliaeth hon gan gwymp Talacharn, Llansteffan ac Arberth a daeth Llywelyn yn ôl i'r De i anrheithio Dyfed ac i ymosod ar Forgannwg lle dinistriodd gastell Llangynwyd. Yr oedd hyn i gyd yn ormod i Henry III; dechreuodd gynllunio ymgyrch yng ngogledd Cymru ond ychydig o gefnogaeth oedd ar gael yn Lloegr. Yn wir, mae'n debyg fod yna ryw gydymdeimlad â Llywelyn ymhlith barwniaid Lloegr ac awgrymwyd ar y pryd fod rhai ohonynt yn rhoi cyngor i'r tywysog. Dymuniad mawr y barwniaid oedd gyrru ffefrynnau a gweision tramor y brenin o'r wlad ac edmygid Llywelyn gan rai ohonynt am wneud rhywbeth tebyg yng Nghymru. Nid oedd gan y barwniaid lawer o ddiddordeb mewn rhyfel yng Nghymru; diwygiad gwleidyddol yn Lloegr oedd eu diddordeb mawr.

Nid oedd yn rhyfedd, felly, mai methiant fu ymgyrch y brenin. Paratodd Llywelyn i wrthsefyll; symudwyd gwragedd, plant a gwartheg i ddiogelwch Eryri, torrwyd pontydd i lawr a chloddiwyd tyllau yn y rhydau. Cychwynnodd y brenin o Gaer ar 19 Awst 1257 a rhyddhawyd Diserth a Degannwy. Ond ni symudodd y brenin gam ymhellach ac y mae'n ymddangos bod llongau Llywelyn wedi rhwystro'r llynges o Iwerddon a oedd i fod i ymuno â'r fyddin frenhinol. Symudodd Henry yn ôl i Gaer â Llywelyn ar ei warthaf; daeth ei ymgyrch olaf yng Nghymru i ben mewn cadoediad.

of the kings of Deheubarth, was taken from Rhys Fychan and given to Maredudd ap Rhys Gryg. Gwerthrynion was taken from Roger Mortimer but Llywelyn kept control of this key border territory in his own hands. Early in 1257 he turned his attention to Powys; he had already expelled his former ally Gruffydd ap Madog of northern Powys and now he attacked Gruffydd ap Gwenwynwyn who ruled the southern part of that lordship and burned Welshpool. A month later he was in south Wales in the territory between the Tawe and the Tywi and at the end of March Montgomery was sacked.

Rhys Fychan who had been driven from Dinefwr by Llywelyn the year before now sought the king's help to win it back and a royal force set out from Carmarthen. It was opposed by a larger Welsh army led by Maredudd ap Rhys Gryg and another Deheubarth lord, Maredudd ab Owain. At Cymerau on 2 June 1257 Rhys Fychan suddenly changed sides and the royal army was routed. This victory was followed by the fall of Laugharne, Llanstephan and Narberth, and Llywelyn again came south to raid Dyfed and attack Glamorgan where he destroyed the castle of Llangynwyd. This was too much for Henry III who began to plan a campaign in north Wales but he had little support in England. Indeed, there seems to have been some sympathy for Llywelyn among the English barons and it was suggested at the time that some were advising the prince. They wished to drive the king's foreign favourites and servants out of the kingdom and they admired Llywelyn for doing the same thing in Wales. They were not interested in a Welsh war: what they wanted was political reform in England.

It was not surprising that the king's campaign was a failure. Llywelyn prepared to resist; women, children and cattle were moved to the safety of Snowdonia, bridges were broken down and holes were dug in fords. On 19 August 1257 the king set out from Chester, and Diserth and Degannwy were relieved. But Henry got no further and the fleet from Ireland which was supposed to join him seems to have been stopped by Llywelyn's ships. Henry withdrew to Chester with Llywelyn in pursuit and his last campaign in Wales ended with a truce.

Cymododd Gruffydd ap Madog â Llywelyn yn awr a ffodd Gruffydd ap Gwenwynwyn i Loegr. Cynlluniwyd ymgyrch brenhinol arall yng Nghymru yn 1258 ond yr oedd y sefyllfa wleidyddol wedi newid yn Lloegr erbyn hyn. I farwniaid Lloegr y brenin, nid Llywelyn, oedd y gelyn. Gwnaethpwyd cadoediad arall ac erbyn Mawrth 1258 yr oedd pob arglwydd Cymreig heblaw Gruffydd ap Gwenwynwyn o blaid Llywelyn. Y mae'n debyg fod y tywysog wedi derbyn gwrogaeth a ffyddlondeb ei gyd-arglwyddi mewn cyfarfod a gynhaliwyd tua'r adeg honno ac o hyn ymlaen galwodd ei hun yn dywysog Cymru. Y mae'n bosibl fod cytundeb wedi ei wneud yn yr un cyfarfod rhwng Llywelyn a'r arglwyddi Cymreig a nifer o arglwyddi'r Alban a wrthwynebai Henry III. Ceisiai Henry ddod â brenin ifanc yr Alban, Alexander III, a oedd yn fab-yng-nghyfraith iddo, dan ei ddylanwad. Yn y cytundeb addawodd y Cymry a'r Albanwyr beidio â gwneud cyfamodau heddwch ar wahân â'r brenin ond nid oed angen rhoi'r cytundeb hwn mewn grym; rhoddodd y newidiadau yn Lloegr derfyn ar unrhyw fygythiad ar ran y brenin.

Dangosodd y teitl newydd yn eglur beth oedd Llywelyn yn ceisio ei wneud. Fe'i defnyddiwyd unwaith gan ei ewythr Dafydd ap Llywelyn ond galwai ei daid ei hun yn 'Dywysog Gogledd Cymru' yn gyntaf a 'Thywysog Aberffraw ac Arglwydd Eryri' yn ddiweddarach. Cymerai'r teitl o ddifrif fel y dangosodd y ffordd y deliodd â Maredudd ap Rhys Gryg. Yr oedd Maredudd wedi cymodi â'r brenin yn 1258. Diffeithiodd Llywelyn ei diroedd ac yn 1259, wedi ei gipio gan y tywysog, safodd Maredudd ei brawf o flaen ei gyd-arglwyddi ac fe'i dedfrydwyd yn euog o deyrnfradwriaeth. Carcharwyd ef yng nghastell Cricieth ond fe'i rhyddhawyd erbyn y Nadolig. Ymddangosai ei deyrnfradwriaeth yn waeth yng ngolwg Llywelyn am ei fod wedi bod yn un o'r arglwyddi hynny a wnaethai wrogaeth yn 1258 ac am fod Llywelyn wedi addo ei amddiffyn yn erbyn ei elynion, peidio â'i garcharu, na chymryd ei fab fel gwystl, na chipio ei gestyll. Gorfodwyd Maredudd yn awr i drosglwyddo ei fab hynaf ac i ildio ei gestyll yn Ninefwr a Chastell Newydd Emlyn.

Adnewyddwyd y cadoediad am flwyddyn arall ym Mehefin 1259. Yr oedd Llywelyn yn barod i drafod heddwch erbyn hyn a dywedir ei fod wedi cynnig 4,500 o farciau (£3,000 yn ôl

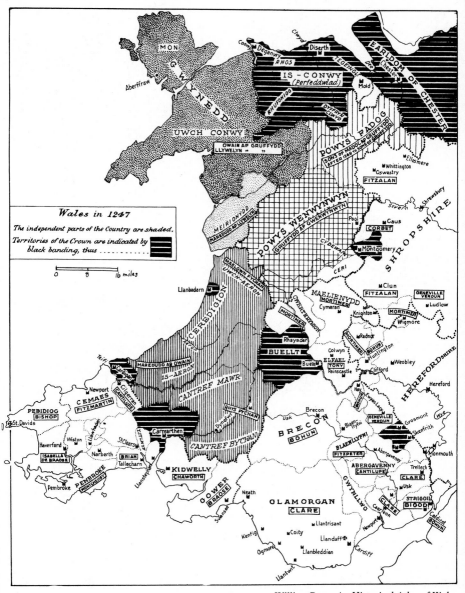

William Rees, *An Historical Atlas of Wales*

Cymru yn 1247: Cytundeb Woodstock

Wales in 1247: the Treaty of Woodstock

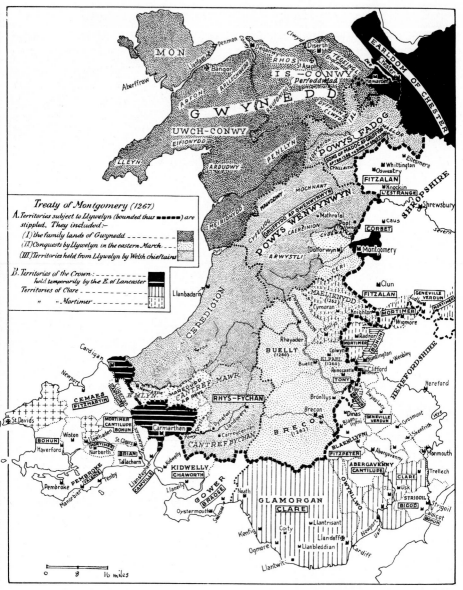

Treaty of Montgomery (1267)

A. *Territories subject to Llywelyn (bounded thus* ▰▰▰▰*) are stippled. They included:—*

   (I) *the family lands of Gwynedd* - - - - - -
   (II) *Conquests by Llywelyn in the eastern March* - - -
   (III) *Territories held from Llywelyn by Welsh chieftains*

B. *Territories of the Crown:* - - - - - - - -
     held temporarily by the E. of Lancaster
   Territories of Clare - - - - - - - - -
     "   " *Mortimer* - - - - -

William Rees, *An Historical Atlas of Wales*

Cymru yn 1267: Cytundeb Trefaldwyn

Wales in 1267: the Treaty of Montgomery

Gruffydd ap Madog now made his peace with Llywelyn and Gruffydd ap Gwenwynwyn fled to England. A further royal campaign in Wales was planned in 1258 but by this time the political situation in England had changed. For the English barons the enemy was not Llywelyn but the king. Another truce was made and by March 1258 every Welsh lord except Gruffydd ap Gwenwynwyn was on Llywelyn's side. At a meeting of Welsh rulers held then the prince seems to have received their homage and fealty and from that time on he called himself prince of Wales. It may have been at the same meeting that a treaty was made between Llywelyn and the leading Welsh lords and a number of Scottish lords who were opposed to Henry III; Henry was trying to bring the young Scottish king Alexander III, who was his son-in-law, under his influence. In the treaty the Welsh and the Scots agreed to make no separate peace with the king but it never took effect; any threat there may have been from Henry was removed by the changed situation in England.

The use of this new title showed what Llywelyn was trying to do. There is one record of its use by his uncle Dafydd ap Llywelyn but his grandfather had first called himself 'Prince of North Wales' and later 'Prince of Aberffraw and Lord of Snowdon'. He took the title very seriously indeed as was shown by his treatment of Maredudd ap Rhys Gryg. Maredudd had made his peace with the king in 1258. Llywelyn laid waste his lands and in April 1259, after his capture by the prince, Maredudd was tried by his fellow-lords and found guilty of treason. He was imprisoned in Cricieth castle but was freed the following Christmas. His treason was made worse in Llywelyn's eyes because in 1258 he had been one of those lords who had done homage and Llywelyn had promised to defend him against his enemies and not to imprison him, to take his son as a hostage or to seize his castles. Now Maredudd had to hand over his eldest son and surrender his castles of Dinefwr and Newcastle Emlyn.

The truce was renewed for another twelve months in June 1259. By now Llywelyn was ready to discuss peace and he is said to have offered 4,500 marks (£3,000 in thirteenth-century values) for a

gwerthoedd ariannol y drydedd ganrif ar ddeg) am gytundeb parhaol ond os gwnaethpwyd y fath gynnig o gwbl, fe'i gwrthodwyd gan Henry III. Gwnaethpwyd cynnig arall yn yr un flwyddyn; yr oedd yr esgob Richard o Fangor wedi cynnig cytundeb heddwch parhaol ar ran y tywysog ar yr amod y byddai Llywelyn yn cadw'r tiroedd a oedd wedi bod ym meddiant ei daid. Cynigiodd roi rhai o'i enillion tiriogaethol yn ôl, talu gwrogaeth a phriodi un o nithoedd Henry. Yr oedd yn barod i dalu £11,000 i'r brenin, £2,000 i'r frenhines a £3,000 i'r Arglwydd Edward mewn rhandaliadau blynyddol o £200 i gael cytundeb. Onid oedd y telerau hyn yn dderbyniol (ac y mae'n bur debyg bod Llywelyn wedi amau hyn am fod y symiau a gynigiwyd yn fwy o lawer na'i holl adnoddau ariannol), cynigiodd £700 am gadoediad am saith mlynedd. Ystyriwyd y telerau hyn gan y brenin ond ni dderbyniwyd y cynnig.

Yr oedd 1260 hithau yn flwyddyn lwyddiannus. Ar ddechrau'r flwyddyn cipiwyd Buellt, a ddelid dros y brenin gan Roger Mortimer, a llosgwyd Dinbych-y-pysgod wedyn. Llosgwyd Trefyclo gan wŷr Ceri a Chydewain yn Ebrill ac ym Mehefin o'r diwedd cipiwyd a dinistriwyd castell Llanfair-ym-Muallt a reolai galon strategol Cymru. Enillwyd mwy o dir yng ngororau canolbarth Cymru. Yr oedd Henry III yn Ffrainc; galwodd ar y barwniaid am gymorth yng Nghymru ond anwybyddwyd ei apêl ac er ei fod wedi gwysio'r fyddin, trefnwyd cadoediad am ddwy flynedd yn Nhrefaldwyn ar 22 Awst. Rheolai Llywelyn y rhan fwyaf o ogledd a chanolbarth Cymru erbyn hyn ac yr oedd yn fygythiad mawr i arglwyddiaeth fwyaf y mers, sef Morgannwg, a oedd ym meddiant Richard de Clare, iarll Caerloyw (Gloucester). Ond y mae'n debyg ei fod ef a Gloucester yn ddigon cyfeillgar â'i gilydd a phan fu farw'r iarll ym Mehefin 1262 nid ymosododd y tywysog ar ei diroedd fel y disgwyliai llawer.

Yn haf 1262 clywodd Henry III si bod Llywelyn wedi marw. Mewn llythyr datguddiodd beth a wnâi petai'r stori yn wir. Nid oedd gan Lywelyn fab ac ofnai'r brenin y byddai Dafydd yn ei olynu; ei fwriad oedd ceisio rhyddhau'r brawd hynaf Owain o garchar a'i wneud yn dywysog a chael gwrogaeth yr arglwyddi Cymreig eraill yn ôl i'r goron ar yr un pryd. Ond si yn unig oedd yr adroddiad; yr oedd Llywelyn yn fyw ac yn iach o hyd ac ail-

permanent treaty but if such an offer was ever made Henry III refused it. There was another offer that year; bishop Richard of Bangor, acting on behalf of the prince, had offered a permanent peace on condition that he should keep the lands which his grandfather had held. In return he would give back some of his other conquests, do homage and marry one of Henry's nieces. For a treaty he was prepared to pay £11,000 to the king, £2,000 to the queen and £3,000 to the Lord Edward in annual instalments of £200. If these terms were unacceptable (as he must have suspected that they would be, since the sums he offered were far more than he could ever have paid) he offered £700 for a seven-year truce. The terms were considered but nothing came of them.

1260 was another good year. It began with the occupation of Buellt which was held for the king by Roger Mortimer and this was followed by the burning of Tenby. In April the men of Ceri and Cydewain burned Knighton and in June the castle of Builth which controlled the strategic heartland of Wales was at last taken and destroyed. There were also more gains in the border areas of mid-Wales. Henry III was in France; he called on the barons for assistance in Wales but his appeal was ignored and although an army was summoned a truce for two years was agreed at Montgomery on 22 August. By now Llywelyn controlled most of northern and central Wales and he was a serious threat to the largest marcher lordship, that of Glamorgan which was ruled by Richard de Clare, earl of Gloucester. But he and Gloucester seem to have been on fairly good terms and when the latter died in June 1262 the prince did not attack his lordship as many expected him to do.

In the summer of 1262 Henry III heard a rumour that Llywelyn had died. In a letter he revealed his plans if the rumour were true. Llywelyn had no son and the king feared that Dafydd would succeed him; what he intended to do was to try and release the eldest brother Owain from prison and make him prince and at the same time recover the homage of the other Welsh lords for the crown. Unfortunately for Henry, Llywelyn was still very much alive and towards the end of 1262 war broke out again when the

ddechreuodd y rhyfel tua diwedd 1262 pan gipiodd gwŷr Maelienydd gastell Cefnllys. Symudodd Llywelyn i mewn i Faelienydd ac wedyn aeth yn ei flaen i feddiannu arglwyddiaeth Brycheiniog tra ysbeiliodd ei wŷr y rhan orllewinol o swydd Henffordd. Yn y cyfamser yr oedd y brenin wedi dychwelyd o Ffrainc ac yn Chwefror 1263 gwysiwyd y fyddin frenhinol i Lwydlo a Henffordd. Methodd arglwyddi Cymreig De Cymru a ymgyrchai yng Ngwent gipio'r Fenni ond ni chychwynnodd ymgyrch y brenin; nid oedd ar ei farwniaid eisiau ymgyrchu yng Nghymru a rhyfel cartref yn debyg o ail-ddechrau yn Lloegr. Yn Ebrill arweiniodd Edward, mab y brenin, fyddin i ogledd Cymru ond dychwelodd yn fuan.

Ond cafodd y brenin gynghreiriad newydd yng Nghymru ar ôl i Ddafydd, brawd ieuengaf Llywelyn, newid ei ochr. Carcharwyd Dafydd yn 1255 ar ôl brwydro yn erbyn Llywelyn. Rhyddhawyd ef yn 1256 ac yr oedd wedi bod yn deyrngar i Lywelyn hyd yn hyn. Ni wyddom pam y trodd at y brenin ond y mae'n bosibl ei fod yn awyddus i gael rhan fwy o Wynedd iddo ef a'i frawd Owain. Ond ni wnaeth ei newid lawer o wahaniaeth. Cipiwyd Diserth a Degannwy gan Lywelyn yn Awst a Medi 1263 ac yn niwedd y flwyddyn cymododd y tywysog o'r diwedd â Gruffydd ap Gwenwynwyn o dde Powys a derbyniwyd ef ganddo yn ben-arglwydd.

Yr oedd Simon de Montfort, arweinydd barwniaid Lloegr, wedi dychwelyd i'r deyrnas yn niwedd Ebrill 1263. Yr oedd ef a Llywelyn yn gynghreiriaid naturiol ac ymunodd milwyr Cymreig â'r fyddin farwnol yng ngwarchae Bridgnorth yn sir Amwythig. Yr oedd y brenin Louis IX o Ffrainc wedi ceisio cyfryngu rhwng Henry a'r barwniaid ond yr oedd ei ddyfarniad, a ddaeth yn 1264, o blaid y brenin a dechreuodd rhyfel ar unwaith. Yr oedd y rhan fwyaf o arglwyddi'r mers wedi bod yn aelodau o'r blaid farwnol ond troesant yn awr at y brenin; y mae'n debyg fod Llywelyn yn fwy o fygythiad iddynt hwy. Dau ohonynt yn unig, sef Gloucester a Humphrey de Bohun, arglwydd Brycheiniog, oedd o blaid Simon o hyd. Yn Chwefror 1264 dinistriwyd Maesyfed gan fyddin farwnol gyda chymorth Llywelyn ac ar 14 Mai enillodd Simon de Montfort fuddugoliaeth ysgubol yn erbyn y brenin yn Lewes yn Sussex; carcharwyd Henry ac Edward. Cyn hir cipiwyd Henffordd, y Gelli, Llwydlo a Chastell Richard gan Simon a Llywelyn. Yn Ionawr

men of Maelienydd took the castle of Cefnllys. Llywelyn occupied
Maelienydd and moved on to take over the lordship of Brecon
while his men ravaged western Herefordshire. Meanwhile the king
had returned from France and in February 1263 the royal army was
ordered to assemble at Ludlow and Hereford. The Welsh lords of
south Wales who were campaigning in Gwent failed to take
Abergavenny but the planned royal campaign never happened;
with a renewal of civil war likely in England no one wished to fight
in Wales. In April Edward, the king's son, led a force into north
Wales but he soon returned.

But the crown now gained an ally in Wales when Dafydd,
Llywelyn's youngest brother, changed sides. Dafydd had fought
against Llywelyn in 1255 and had been imprisoned. In 1256 he had
been released and until now he had been loyal to Llywelyn. Why he
went over to the king we do not know but he may have wanted a
larger share of Gwynedd for himself and Owain. But his change of
loyalty made little difference. Diserth and Degannwy were
captured by Llywelyn in August and September 1263 and at the end
of the year the prince at last came to an agreement with Gruffydd ap
Gwenwynwyn of southern Powys who accepted him as his
overlord.

Simon de Montfort, the leader of the English barons, had
returned to England at the end of April 1263. He and Llywelyn
were natural allies and Welsh troops joined the baronial army in the
siege of Bridgnorth in Shropshire. King Louis IX of France had
tried to arbitrate between Henry and the barons but in 1264 he
decided for the king and at once war broke out. Most of the marcher
lords had been on the baronial side but by now they supported the
king, since they probably saw Llywelyn as a greater threat. Only
two of them, Gloucester and Humphrey de Bohun, lord of Brecon,
now supported Simon. In February 1264 Radnor was destroyed by
a baronial force with Llywelyn's support and on 14 May Simon de
Montfort won a crushing victory over the king at Lewes in Sussex
and took both Henry and Edward prisoner. Soon afterwards Simon
and Llywelyn captured Hereford, Hay, Ludlow and Richard's
Castle. In January 1265 Simon's son Henry met Llywelyn and

1265 cyfarfu Henry, mab Simon, â Llywelyn a Gruffydd ap Madog ym Mhenarlâg. Cadarnhawyd enillion tiriogaethol Llywelyn a sefydlwyd y ffin ar afon Dyfrdwy.

Ond daeth mwy o newidiadau yn Lloegr. Newidiodd iarll Gloucester ei ochr a dihangodd Edward o garchar. Llywelyn oedd unig gynghreiriad Simon fel canlyniad; medrodd osod ei delerau ei hun. Gwnaethpwyd cytundeb yn Pipton, ger y Clas ar Wy, ar 19 Mehefin 1265. Addawodd Simon yn enw'r brenin dderbyn Llywelyn yn dywysog Cymru a phen-arglwydd yr arglwyddi Cymreig eraill. Cytunodd adfer yr holl diroedd a gipiwyd oddi ar Ddafydd ap Llywelyn a throsglwyddo cestyll Penarlâg, y Drewen a Chastell Paen a oedd ar y ffin. Cytunodd Llywelyn dalu 30,000 o farciau (£20,000) dros gyfnod o ddeng mlynedd, gwneud gwrogaeth i'r brenin a chefnogi Simon. Mynnai Llywelyn gael ei gydnabod yn dywysog Cymru ac yr oedd angen cynghrair ffurfiol ar Simon. Ond ni weithredwyd Cytundeb Pipton erioed; yn wir, nid oedd Simon de Montfort bellach mewn safle i gadw at ei air. Nid oedd y cytundeb yn boblogaidd yn Lloegr lle credai llawer fod Simon wedi ildio gormod. Unig ddiddordeb Llywelyn oedd sicrhau ei safle.

Ar ôl y cytundeb cychwynnodd Simon i Fryste a goresgynnodd Llywelyn Went. Gorfodwyd Simon wedyn i symud yn ôl i Gymru a phan symudodd ef i'r dwyrain unwaith eto fe'i trechwyd ac fe'i lladdwyd gan Edward ym mrwydr Evesham yn swydd Gaerwrangon ar 4 Awst 1265. Gyrrwyd ar ffo fyddin o Gymru a anfonwyd gan Lywelyn i'w gynorthwyo. Daeth buddugoliaeth Edward â Rhyfeloedd y Barwniaid i ben mewn gwirionedd. Deng niwrnod yn ddiweddarach cipiodd Gaer; bu hyn yn fygythiad i Lywelyn ond cipiwyd a dinistriwyd castell Penarlâg gan y tywysog a threchwyd byddin frenhinol a anfonwyd yn ei erbyn. Yng ngwanwyn 1266 ceisiodd Roger Mortimer, a oedd erbyn hyn yn arweinydd arglwyddi'r mers, adennill arglwyddiaeth Brycheiniog ond trechwyd ef hefyd gan Lywelyn. Parhaodd yr ymladd yn y mers trwy'r flwyddyn 1266 ond bellach yr oedd pawb bron yn barod i gymodi.

Cyrhaeddodd Ottobuono, cynrychiolydd y pab, Loegr yn Hydref 1265. Y babaeth oedd yr unig awdurdod rhyngwladol yn

Gruffydd ap Madog at Hawarden; Llywelyn's conquests were recognised and the Dee was agreed as the border.

But there were more changes in England. The earl of Gloucester changed sides and Edward escaped from prison. Llywelyn was now Simon's only ally which meant that he could dictate his own terms. A treaty was made at Pipton near Glasbury on the Wye on 19 June 1265. Simon promised in the king's name to recognise Llywelyn as prince of Wales and overlord of the other Welsh rulers. He agreed to restore all the lands which had been taken from Dafydd ap Llywelyn and to hand over the border castles of Hawarden, Whittington and Painscastle. In return Llywelyn agreed to pay 30,000 marks (£20,000) over a period of ten years, to do homage to the king and to support Simon. Llywelyn wanted recognition as prince of Wales and Simon needed a formal alliance. But the Treaty of Pipton never came into effect; indeed, Simon de Montfort was no longer in a position to keep his part of the bargain. It was not popular in England where many believed that Simon had given away too much and Llywelyn was only interested in securing his own position.

After the treaty Simon set out for Bristol and Llywelyn invaded Gwent. Simon was then forced to retreat into Wales and when he moved east again he was defeated and killed by Edward at Evesham in Worcestershire on 4 August 1265. A Welsh force sent by Llywelyn to help him retreated in disorder. Edward's victory really brought the Barons' Wars to an end. Ten days later he took Chester and threatened Llywelyn but the prince took and destroyed Hawarden castle and defeated a royal army which had been sent against him. In the spring of 1266 Roger Mortimer who was by now the leader of the marcher lords tried to win back the lordship of Brecon but Llywelyn defeated him as well. Fighting continued in the march throughout 1266 but most people now wanted peace.

In October 1265 the pope's representative Ottobuono had arrived in England. The papacy was the one international authority

Ewrop a bwriadai Ottobuono gyfryngu a dod â'r rhyfel cartref i ben. Yr oedd Llywelyn wedi profi nad oedd angen cymorth y blaid farwnol arno ac y mae'n debyg fod y brenin yn awyddus iawn i gael cytundeb. Dechreuodd y trafodaethau yn 1267 ac ar 25 Medi cytunwyd amodau a oedd yn dderbyniol i'r ddwy ochr yn Amwythig. Ar 29 Medi 1267 gwnaethpwyd cytundeb yn Rhyd Chwima ger Trefaldwyn, un o'r mannau cyfarfod traddodiadol ar y ffin, a gwnaeth Llywelyn wrogaeth a ffyddlondeb i Henry III.

Cytundeb Trefaldwyn oedd uchafbwynt gorchestion y Cymry yn y drydedd ganrif ar ddeg; cyflawnwyd dymuniadau ac uchelgais tri thywysog olynol. Cydnabuwyd y teitl o dywysog Cymru, nid yn unig i Lywelyn ond hefyd i'w etifeddion a'i olynwyr. Caniatawyd iddo wrogaeth a phen-arglwyddiaeth yr arglwyddi Cymreig i gyd ac eithrio Maredudd ap Rhys Gryg; y mae'n debyg fod Maredudd yn awyddus i aros dan nawdd y brenin er mwyn ei ddiogelwch ei hun. Rhoddwyd y Berfeddwlad i Lywelyn. Yr oedd arglwyddiaeth Penarlâg i gael ei hadfer i'w harglwydd ond ni chaniatawyd ail-adeiladu'r castell am ddeng mlynedd ar hugain. Byddai Gruffydd ap Gwenwynwyn yn ildio'i holl diroedd heblaw'r rhai a fu yn ei feddiant pan oedd yn gynghreiriad i'r brenin a byddai Llywelyn yn cadw'r Drewen, Ceri, Cydewain, Buellt, Gwerthrynion a Brycheiniog; byddai'n rhaid iddo gadw trefn ar yr ardaloedd allweddol hyn ar y ffin os oedd ei dywysogaeth i fod o unrhyw werth. Byddai'r tywysog yn cael Maelienydd hefyd pe gallai brofi ei hawl iddi ond yn y cyfamser caniatawyd i Roger Mortimer adeiladu castell yno. Cytunodd Llywelyn roi tiroedd i Ddafydd, a oedd yn awr wedi cymodi ag ef, ac addawodd dalu treth o 25,000 o farciau (£16,667).

Sicrhaodd Cytundeb Trefaldwyn fod dyfodol i dywysogaeth Cymru. Yn y cytundeb cydnabu'r brenin y dywysogaeth hon dan reolaeth Llywelyn a'i olynwyr a fyddai'n gwneud gwrogaeth drosti; byddai'r arglwyddi Cymreig yn eu tro yn gwneud gwrogaeth i'r tywysog. Am y tro cyntaf crewyd perthynas sefydlog â choron Lloegr ar sail cytundeb ffurfiol. Y mae rhai wedi gweld bai ar bolisi Llywelyn; gwelant y cytundeb fel prif achos trychineb 1282. Yn ôl y ddadl hon dibynnai cryfder y gyfundrefn wleidyddol yng Nghymru ar fodolaeth nifer o arglwyddi annibynnol. Fel

in Europe and Ottobuono intended to act as a mediator and bring the civil war to an end. Llywelyn had proved that he could survive very well without the help of the baronial party and the king probably wanted a settlement. Negotiations began in 1267 and on 25 September terms acceptable to both sides were agreed at Shrewsbury. On 29 September 1267 a treaty was made at the ford of Montgomery, one of the traditional places of negotiation on the border, and Llywelyn did homage and fealty to Henry III.

The Treaty of Montgomery was the high point of Welsh achievement in the thirteenth century and it contained everything for which three successive princes had worked. The title of prince of Wales was recognised by the crown, not only for Llywelyn but also for his heirs and successors. He was also granted the homage and overlordship of all the other Welsh rulers with the exception of Maredudd ap Rhys Gryg who was probably anxious to remain under the king's protection for his own safety. The Four Cantrefs were to be Llywelyn's. Hawarden was to be restored to its lord but the castle there was not to be rebuilt for thirty years. Gruffydd ap Gwenwynwyn was to give up all his lands except those which he had held when he was the king's ally and Llywelyn was to keep Whittington, Ceri, Cydewain, Buellt, Gwerthrynion and Brecon; all these were key border areas which he had to control if his principality was to have any meaning at all. If he could prove his right to Maelienydd he would have that as well but Roger Mortimer was to be allowed to build a castle there in the meantime. He agreed to provide lands for Dafydd who had now made his peace with him and he promised to pay 25,000 marks (£16,667) as tribute.

What the Treaty of Montgomery meant was that in future there would be a principality of Wales recognised by the king and ruled by Llywelyn and his successors who would do homage for it; the Welsh lords would in turn do homage to the prince. It created for the first time a stable relationship with the English crown based on a formal agreement. Some have found fault with Llywelyn's policy and have seen the treaty as the main cause of the disaster of 1282. They argue that the strength of the Welsh political system lay in the existence of many rulers. This meant that Welsh independence

canlyniad, ni ellid dinistrio annibyniaeth Gymreig yn hawdd am nad oedd un canolfan awdurdod gwleidyddol i Gymru gyfan. Creodd y cytundeb un dywysogaeth; petai'r dywysogaeth hon yn cael ei dinistrio, yna fe fyddai'r annibyniaeth Gymreig ar ben.

Yr oedd Cytundeb Trefaldwyn yn sicr yn un o achosion yr argyfwng diweddarach ym mherthynas Cymru â Lloegr ond y mae'n annheg beirniadu Llywelyn am geisio cael y cytundeb a gafodd yn 1267. Yr ydym yn beio llywodraethwyr yn aml am anwybyddu gwersi'r gorffennol ond nid oedd Llywelyn yn euog o hyn. Yr oedd ei daid wedi dod â rhan helaeth o Gymru dan ei reolaeth ac yr oedd wedi ceisio sicrhau'r un safle i'w fab Dafydd. Ond peth personol oedd ei oruchafiaeth er hynny. Yr oedd Henry III yn barod i'w derbyn tra 'roedd Llywelyn Fawr yn fyw; yn wir, nid oedd gan Henry unrhyw ddewis. Ond nid oedd ef yn barod i adael i'r genhedlaeth nesaf etifeddu'r oruchafiaeth hon. Gan fod grym Llywelyn ab Iorwerth yng Nghymru wedi dibynnu ar ei bersonoliaeth, bu farw ei dywysogaeth gydag ef. Mis ar ôl ei farw yn 1240 diraddiwyd Dafydd ap Llywelyn i rengoedd yr arglwyddi Cymreig eraill drwy Gytundeb Caerloyw.

Yr oedd gwers 1240 yn amlwg i Lywelyn ap Gruffydd. Yn wir, yr oedd hi wedi bod yn amlwg i'w ewythr a geisiodd ei roi ei hun dan nawdd y pab ac a alwodd ei hun yn dywysog Cymru o leiaf unwaith. Ni ellir gwadu pwysigrwydd goruchafiaeth bersonol Llywelyn Fawr ond yr oedd angen rhywbeth mwy sylweddol i uno Cymru am byth. O 1258 ymlaen galwai Llywelyn ei hun yn dywysog Cymru ac yng Nghytundeb Trefaldwyn sicrhaodd gydnabyddiaeth i'r dywysogaeth fel sefydliad a oedd yn hollol ar wahân i berson y tywysog. Y mae hyn yn esbonio ei awydd i drosglwyddo'r teitl i'w olynwyr. Ni châi'r hyn a ddigwyddodd yn 1240 ddigwydd eto. Ni cheid fyth eto chwalu gwaith oes oherwydd marwolaeth un dyn. Gwnaethpwyd swydd tywysog Cymru yn un barhaol a chydnabuwyd y swydd mewn cytundeb; pan fyddai deiliad y swydd farw, yna byddai rhywun arall yn llenwi ei le. Dyma'r hyn y ceisiai Llywelyn ap Gruffydd ei wneud yng Nghytundeb Trefaldwyn. Gwobr ei lwyddiant fyddai Cymru unedig dan reolaeth teulu brenhinol Gwynedd.

could not easily be destroyed because there was no one centre of political power. The treaty created a single principality and once its power was broken Welsh independence was at an end.

The Treaty of Montgomery was certainly one of the causes of the later crisis in Anglo-Welsh relations but it is unfair to criticise Llywelyn for seeking the settlement which he won in 1267. We often blame rulers for not learning from history but this is what the prince had tried to do. His grandfather had brought much of Wales under his rule and had tried to secure the same position for his son Dafydd. His supremacy, however, had been a personal one. Henry III was prepared to accept it; indeed, he had little choice. But he was not prepared to see it passed on to the next generation. Because Llywelyn ab Iorwerth's power in Wales had depended on his personality it died with him. A month after his death in 1240 the Treaty of Gloucester reduced Dafydd ap Llywelyn to the same level as the other Welsh lords.

The lesson was not lost on Llywelyn ap Gruffydd. Indeed, it had not been lost on his uncle who had tried to put himself under the protection of the pope and who had called himself prince of Wales at least once. Personal supremacy was one thing but if Wales was to be held together something more was needed. From 1258 Llywelyn called himself prince of Wales and at Montgomery he made sure that the principality was recognised as something quite separate from the person of the prince. This explains why he was so anxious that the title should pass to his successor. What had happened in 1240 would not be allowed to happen again. Never again would the work of a lifetime collapse because of the death of one man. The office of prince of Wales was made permanent and recognised in a treaty and when the man who held it died another would take his place. This is what Llywelyn ap Gruffydd was trying to do in the Treaty of Montgomery; the prize would be a united Wales under the rule of the royal house of Gwynedd.

III

Mewn un ffordd yr oedd Cytundeb Trefaldwyn yn nodi diwedd brwydr; mewn ffordd arall nid oedd ond megis yn dechrau. Yr oedd gan Lywelyn ei gytundeb a'i dywysogaeth ond yn awr wynebai her fwy. Yr oedd ef yn ben-arglwydd yr arglwyddi Cymreig eraill ond yr oedd rhaid iddo yn awr greu brenhiniaeth genedlaethol yng Nghymru a gwneud ei safle yn barhaol. Nid oedd y ffaith fod brenin Lloegr wedi cydnabod bodolaeth y dywysogaeth yn golygu derbyniad eiddgar i ben-arglwyddiaeth Llywelyn ar ran yr holl arglwyddi Cymreig. Elfen newydd yng ngwleidyddiaeth Cymru oedd y dywysogaeth. Yr oedd Lloegr wedi ei huno dan un brenin ers rhai canrifoedd, a'r Alban yr un modd, ond nid Cymru, ac yr oedd y gymdeithas Gymreig yn hynod geidwadol. Yr oedd tywysogion Gwynedd wedi diystyru'r traddodiadau Cymreig mewn llawer ffordd ac yr oeddynt wedi gwneud hyn unwaith yn rhagor; os Llywelyn ap Gruffydd oedd tywysog Cymru yn awr, yna yr oedd yr arglwyddi Cymreig eraill wedi colli rhywfaint o'u hurddas. Byddai'n rhaid i Lywelyn weithio'n galed iawn i gadw eu teyrngarwch.

Yr oedd perthynas Llywelyn â'r brenin yn ddigon cyfeillgar yn ystod y blynyddoedd cyntaf ar ôl y cytundeb. Y mae'n debyg fod ewyllys da ar y ddwy ochr ac yn 1270 rhoddwyd gwrogaeth Maredudd ap Rhys Gryg i'r tywysog am dâl ychwanegol o 5,000 o farciau. Gwnaethpwyd hyn ar gais Edward. Talwyd rhandaliadau'r dreth yn brydlon yn ôl y cytundeb; rhwng Hydref 1267 a Ionawr 1272 talodd Llywelyn gyfanswm o 13,750 o farciau (£8,167) yn ogystal â'r arian a dalwyd am wrogaeth Maredudd ap Rhys. Nid oedd ganddo unrhyw gŵyn yn erbyn y brenin ar y pryd ond yr oedd ef wedi cweryla â'i gymydog yn y de, Gilbert de Clare, iarll Gloucester, a chwaraeodd ran mor bwysig yn y rhyfel cartref yn Lloegr. Yn wir, yr oedd y cweryl hwn yn anochel oherwydd amodau Cytundeb Trefaldwyn. Yn y cytundeb cydnabuwyd Llywelyn yn ben-arglwydd yr holl arglwyddi Cymreig, neu farwniaid Cymru, fel yr adwaenid hwy fel rheol. Gloucester oedd arglwydd Morgannwg ac yn y rhan ogleddol o'i arglwyddiaeth ceid o hyd rai arglwyddi Cymreig a oedd yn ddeiliaid iddo.

III

In one way the Treaty of Montgomery marked the end of a fight; in another it was only a beginning. Llywelyn had his treaty and his principality but he now faced a greater challenge. He was the overlord of the other Welsh rulers but now he had to create a national monarchy in Wales and make his position a permanent one. The fact that the king of England had recognised the existence of the principality did not mean that the Welsh lords had all accepted Llywelyn's overlordship with enthusiasm. The principality was something new in Welsh politics. England and Scotland had each been united under one king for some centuries but not Wales, and Welsh society was intensely conservative. The princes of Gwynedd had already cut across Welsh tradition in many ways and now they had done it again; if Llywelyn ap Gruffydd was now prince of Wales the other Welsh rulers were less important than they had been. Llywelyn would have to work very hard to keep their loyalty.

For the first few years all went well as far as relations with the king were concerned. There seems to have been goodwill on both sides and in 1270 Llywelyn was granted the homage of Maredudd ap Rhys Gryg in return for a further 5,000 marks. This was done at the request of Edward. The instalments of the tribute due under the treaty were paid promptly; between October 1267 and January 1272 Llywelyn paid a total of 13,750 marks (£8,167) as well as the money paid for the homage of Maredudd ap Rhys. His quarrel at this time was not with the king but with his southern neighbour Gilbert de Clare, the earl of Gloucester, who had played such an important part in the English civil war. The terms of the Treaty of Montgomery really made this quarrel inevitable. In the treaty Llywelyn was recognised as the overlord of all the Welsh lords, or, as they were usually called, the barons of Wales. Gloucester was lord of Glamorgan and in the northern part of his lordship there remained some Welsh lords who were subject to him.

Erbyn 1262 yr oedd arglwyddiaeth Brycheiniog ym meddiant Llywelyn; golygai hyn mai ef oedd cymydog yr iarll i'r gogledd. Gan ei fod yn awr yn ei alw ei hun yn dywysog Cymru, ystyriai ef ei hun yn ben-arglwydd yr holl arglwyddi Cymreig ac yr oedd yn naturiol i'r arglwyddi ym Morgannwg droi ato ef yn hytrach nag at Gloucester. Bu farw Rhys ap Gruffydd o Senghennydd, yr arglwydd mwyaf blaengar ym Morgannwg, yn 1256; fe'i olynwyd gan ei fab Gruffydd a oedd yn gefnogwr brwd i Lywelyn. Erbyn 1267 yr oedd y tywysog wedi dechrau symud i mewn i ogledd Morgannwg ac y mae'n debyg fod hyn yn esbonio pam y carcharwyd Gruffydd gan yr iarll yn y flwyddyn honno, yn gyntaf yng Nghaerdydd ac wedyn yn ei gastell yn Kilkenny yn Iwerddon. Ystyriai Gloucester deyrngarwch Gruffydd ap Rhys i Lywelyn yn fygythiad i'w safle ei hun; yr oedd yn amlwg mai bwriad Llywelyn yn y pen draw oedd cynnwys Cymru gyfan yn ei dywysogaeth. Ar ôl Cytundeb Trefaldwyn gallai Llywelyn honni hefyd mai ef, yn hytrach na Gloucester, oedd pen-arglwydd Gruffydd ap Rhys am mai ef oedd pen-arglwydd yr arglwyddi Cymreig i gyd; gallai honni mai ef oedd amddiffynydd hawliau Gruffydd.

Yn 1268 dechreuodd Gloucester adeiladu castell mawr newydd yng Nghaerffili. Byddai'r castell yn amddiffyn ei ffin ogleddol yn erbyn Llywelyn yn ogystal â rheoli'r ffordd i'w brifddinas yng Nghaerdydd. Protestiodd Llywelyn; honnodd fod Gruffydd ap Rhys yn ddeiliad iddo ac nad oedd gan yr iarll unrhyw hawl i adeiladu castell ar dir Gruffydd. Ar ôl sawl ymgais aflwyddiannus gan gyfryngwyr i dorri'r ddadl, ymosododd Llywelyn ar y castell newydd a'i ddinistrio yn Hydref 1270. Erbyn 1272, fodd bynnag, yr oedd Gloucetser wedi llwyddo i ail-sefydlu ei awdurdod yn y rhan ogleddol o Forgannwg a gorfodwyd Llywelyn i dynnu'n ôl. Hwn oedd y tro cyntaf i rywun rwystro Llywelyn yn y mers; dangosodd Gloucester ei bod yn bosibl ei wrthsefyll. Y mae'n hawdd gweld bai ar Lywelyn am geisio ymestyn ei awdurdod tu hwnt i Fannau Brycheiniog; hwyrach y dylai fod ei enillion yn Nhrefaldwyn wedi bod yn ddigon iddo ond yr oedd y cytundeb wedi ei gydnabod ef yn ben-arglwydd yr arglwyddi Cymreig eraill. Arglwydd Cymreig oedd Gruffydd ap Rhys ac y mae'n bosibl, felly, fod Llywelyn wedi ystyried ei ymgyrch ym Morgannwg yn ddarn anorffen o'i dasg.

By 1262 Llywelyn controlled the lordship of Brecon and this meant that he was now the earl's northern neighbour. As he was now calling himself prince of Wales he regarded himself as the overlord of all the Welsh lords and those in Glamorgan looked at him rather than to Gloucester. The leading Glamorgan lord, Rhys ap Gruffydd of Senghennydd, had died in 1256 and he was succeeded by his son Gruffydd who was a strong supporter of Llywelyn. By 1267 the prince had begun to move into northern Glamorgan which may explain why in that year the earl imprisoned Gruffydd, first in Cardiff and then in his castle of Kilkenny in Ireland. Gloucester saw Gruffydd ap Rhys's loyalty to Llywelyn as a threat to his own position while Llywelyn obviously intended that his principality would in time include the whole of Wales. After the Treaty of Montgomery Llywelyn could also argue that, since he was overlord of all the Welsh lords, he and not the earl of Gloucester was the overlord of Gruffydd ap Rhys and he could claim to be the defender of his rights.

In 1268 Gloucester began to build a large new castle at Caerffili. This would protect his northern border against Llywelyn and would cover the route to his capital at Cardiff. Llywelyn objected to this; he claimed that Gruffydd ap Rhys was his vassal and that the earl therefore had no right to build a castle in Gruffydd's territory. After the failure of several attempts to settle the quarrel by arbitration Llywelyn attacked and destroyed the new castle in October 1270. By 1272, however, Gloucester had managed to restore his authority in the northern part of Glamorgan and Llywelyn was forced to withdraw. This was the first time that the prince's advance in the march had been blocked and it showed that he could be resisted. It is easy to criticise Llywelyn for trying to extend his power south of the Brecon Beacons and to argue that he should have been satisfied with what he had gained at Montgomery but the treaty had recognised him as overlord of the other Welsh lords. Gruffydd ap Rhys was a Welsh lord and Llywelyn may therefore have seen his activities in Glamorgan as a piece of unfinished business.

Bu farw Henry III yn Nhachwedd 1272 ac fe'i olynwyd gan
Edward. Yr oedd y brenin newydd i ffwrdd, yn ymladd yn Rhyfel y
Groes, ac ni ddychwelodd o Balesteina am bron ddwy flynedd.
Cyn iddo ddychwelyd yr oedd y deyrnas yng ngofal tri rhaglaw,
gan gynnwys Roger Mortimer, ac yn awr dechreuodd perthynas
Llywelyn â'r goron waethygu. Yn 1273 dechreuodd ef adeiladu
castell yn Nolforwyn yng Nghydewain, un o'r ardaloedd a gipiasai
oddi ar Mortimer. Rheoli ardal allweddol oedd pwrpas y castell ac
fe sefydlodd y tywysog farchnad yn Abermiwl gerllaw.
Dychrynwyd bwrdeisiaid Trefaldwyn, nad oedd ond ychydig
filltiroedd o Abermiwl, gan y farchnad; cwynent am y bygythiad
newydd i'w masnach. Gwahardd i Lywelyn adeiladu'r castell oedd
ymateb y rhaglawiaid; atebodd ef fod ganddo bob hawl, fel
tywysog annibynol, i adeiladu cestyll yn ei dywysogaeth ei hun. Y
mae'n debyg nad oedd y rhaglawiaid yn fodlon gwneud dim byd a
fyddai'n debyg o effeithio ar ei hawliau yn absenoldeb y brenin; yr
oedd gan Roger Mortimer ddiddordeb personol hefyd am ei fod
wedi colli Cydewain i Lywelyn. Ond gwelodd Llywelyn eu
gweithred fel ymgais i ymyrryd â'i hawliau y tu mewn i'w
diriogaeth ei hun.

Ymddengys fod ei agwedd wedi newid mewn ffyrdd eraill ar ôl
marw Henry III. Ar ddechrau 1273 galwyd ef i Drefaldwyn i
wneud gwrogaeth i'r brenin newydd ond ni ddaeth yno nac anfon
esgus ychwaith. Ni thalwyd rhandaliadau'r dreth ar gyfer 1272 a
1273. Yn Chwefror 1274 dywedodd wrth y brenin y byddai'n talu'r
rhandaliadau cyn gynted ag y gorchymynid Gloucester ac
arglwyddi eraill y mers i setlo'r holl ddadleuon tiriogaethol ag ef.
Yr oedd Roger Mortimer wrthi yn adeiladu castell newydd ym
Maelienydd er nad oedd statws yr ardal honno wedi ei phenderfynu
eto; honnai Llywelyn na chaniatawyd i Mortimer wneud dim ond
atgyweirio Cefnllys dan amodau Cytundeb Trefaldwyn. Penododd
y rhaglawiaid gomisiynwyr i ddatrys y broblem hon a phroblemau
eraill ond heb lwyddiant.

Dychwelodd Edward i Loegr yn Awst 1274. Gwysiwyd
Llywelyn i'w goroni ond nid aeth yno er iddo anfon cynrychiolwyr
i gyfarfod â'r brenin yn Northampton yn ddiweddarach. Ond, yn
sydyn yn ystod y trafodaethau hyn, cododd argyfwng gwleidyddol
a phersonol mwyaf difrifol ei deyrnasiad. Yr oedd Gruffydd ap

In November 1272 Henry III died and Edward succeeded him. The new king was away on crusade and it was nearly two years before he returned from the Holy Land. In his absence the kingdom was ruled by three regents, one of whom was Roger Mortimer, and it was now that Llywelyn's relations with the crown began to get worse. In 1273 he began building a castle at Dolforwyn in Cydewain, one of the territories he had captured from Mortimer. This castle was intended to control a key area and the prince also established a market nearby at Abermiwl. The market alarmed the burgesses of Montgomery which was only a few miles away and they complained about the new threat to their trade. The regents responded by forbidding Llywelyn to build the castle; to this he answered that as an independent prince he had every right to build castles in his own principality. The regents were probably unwilling to do anything in the king's absence which might affect his rights and Roger Mortimer also had a personal interest since he had lost Cydewain to Llywelyn. But to Llywelyn their action was nothing more than an attempt to interfere with his rights within his own territory.

His attitude seems to have changed in other ways after the death of Henry III. At the beginning of 1273 he was summoned to Montgomery to do homage to the new king but he neither appeared nor sent an excuse. The 1272 and 1273 instalments of the tribute were not paid. In February 1274 he told the king that they would be paid as soon as Gloucester and other marcher lords were ordered to settle any territorial disputes they had with him. The status of Maelienydd had not yet been decided but Roger Mortimer was building a new castle there; Llywelyn claimed that under the Treaty of Montgomery he was only allowed to repair Cefnllys. The regents appointed commissioners to deal with this and other problems but nothing came of it.

Edward arrived back in England in August 1274. Llywelyn was summoned to his coronation but he did not attend although he later sent representatives to meet the king at Northampton. While these talks were going on he was suddenly faced with the most serious political and personal crisis of his reign. Gruffydd ap

Gwenwynwyn o dde Powys wedi ymostwng iddo yn 1263 ac yr oedd Gruffydd yn ddiweddarach wedi cymryd rhan yn ei ymosodiad ar Gaerffili. Ceid yr argraff fod hen elyniaeth Gwynedd a Phowys wedi dod i ben. Yr oedd Dafydd, brawd Llywelyn, hefyd wedi cymodi ag ef er 1267. Ond clywodd Llywelyn yn awr am gynllwyn ar ran Gruffydd a Dafydd i'w ladd. Y bwriad oedd lladd y tywysog ar Ŵyl Fair y Canhwyllau, 2 Chwefror 1274, ond rhwystrwyd y cynllwyn am nad oedd y tywydd yn ffafriol.

Ymddengys mai gwaith Hawys, gwraig Gruffydd ap Gwenwynwyn, ac Owain, ei fab hynaf a'i etifedd, oedd y cynllwyn; y mae'n debyg eu bod wedi manteisio ar genfigen Dafydd wrth ei frawd. Pe llwyddai'r cynllwyn byddai Dafydd yn dod yn dywysog a byddai Owain yn priodi ei ferch. Adferid Ceri a Chydewain, dwy ardal ar y ffin, i Bowys. Yr oedd y ddwy wedi bod gynt yn rhan o'r deyrnas honno ac y mae'n rhaid bod Gruffydd wedi teimlo'n chwerw am eu bod ym meddiant Llywelyn. Y mae'n debyg mai adeiladu Dolforwyn, a oedd yn symbol o rym Gwynedd, mor agos at ei arglwyddiaeth ei hun, oedd y sarhad terfynol. Temtiwyd Dafydd yn hawdd gan y gobaith o ddisodli ei frawd. Y mae'n debyg fod Llywelyn wedi clywed am y cynllwyn ar ôl iddo fethu ond fe symudodd yn gyflym. Galwyd Dafydd gerbron ei gyngor yn Rhuddlan i'w holi a phenodwyd dydd i'w holi ymhellach. Gwysiwyd Gruffydd ap Gwenwynwyn i Ddolforwyn; ar ôl sefyll ei brawf fe'i gorfodwyd i drosglwyddo Owain yn wystl i'r tywysog a chipiwyd rhai o'i diroedd oddi arno. Caniatawyd iddo gadw gweddill ei diroedd ar ôl iddo ofyn ar ei liniau am faddeuant Llywelyn.

Yr oedd gan ddarostyngiad cyhoeddus arglwydd Powys un canlyniad pendant. Buasai Gruffydd yn aml ymhlith gwrthwynebwyr Llywelyn ond yn awr yr oedd yn elyn iddo. Yr oedd Dafydd yn y cyfamser wedi ffoi i Loegr cyn y dydd a benodwyd i'w ail-holi. Datguddiwyd holl hanes y cynllwyn pan gyffesodd Owain ap Gruffydd ap Gwenwynwyn ym mhresenoldeb esgob Bangor ac eraill; cynhwysir y manylion mewn llythyr a ysgrifennwyd at archesgob Caergaint gan ddeon a chabidwl Bangor yn Ebrill 1276. Datguddiodd Owain, ymhlith pethau eraill, fod yr holl ddogfennau ynglŷn â'r cynllwyn mewn cist yng nghastell ei dad yn y Trallwng. Yn Nhachwedd 1274 anfonodd

Gwenwynwyn of southern Powys had submitted to him in 1263 and had later taken part in his attack on Caerffili. It had seemed that the ancient rivalry of Gwynedd and Powys had come to an end. Llywelyn's brother Dafydd had also been reconciled with him since 1267. But now Llywelyn learned of a plot against his life by Gruffydd and Dafydd. The killing had been planned for Candlemas Day, 2 February 1274, but it had been foiled by bad weather.

The plot appears to have been the work of Gruffydd ap Gwenwynwyn's wife Hawise and his eldest son and heir Owain, who probably played on Dafydd's jealousy of his brother. If it succeeded Dafydd would become prince and Owain would marry his daughter. The border territories of Ceri and Cydewain would be restored to Powys. They had formerly been a part of that kingdom and Llywelyn's occupation of them must have made Gruffydd feel bitter. The building of Dolforwyn, a symbol of the power of Gwynedd, so close to his own lordship may have been the last straw. Dafydd was easily tempted by the prospect of taking his brother's place. Llywelyn seems to have heard of the conspiracy after its failure but once he had heard he moved quickly. Dafydd was called before his council at Rhuddlan and interrogated and a day was fixed for further questioning. Gruffydd ap Gwenwynwyn was summoned to Dolforwyn where, after standing trial, he was forced to hand over Owain as a hostage and some of his lands were taken from him. He was allowed to keep the rest after asking for Llywelyn's forgiveness on his knees.

The public humiliation of the ruler of Powys had one certain result. Gruffydd had often been Llywelyn's opponent but now he was his enemy. Dafydd had in the meantime fled to England before the day set for his second interrogation. The full story of the plot came out when Owain ap Gruffydd ap Gwenwynwyn confessed in the presence of the bishop of Bangor and others; the details are in a letter written by the dean and chapter of Bangor to the archbishop of Canterbury in April 1276. Among other things Owain revealed that all the documents about the plot were in a chest in his father's castle at Welshpool. In November 1274 Llywelyn sent his

Llywelyn genhadon i Bowys i drafod y mater ond ar ôl iddynt gael
eu croesawu, fe'u clowyd mewn dwnsiwn a'r noson honno ffodd
Gruffydd i Loegr i ymuno â Dafydd. Anfonwyd abad a phrior
Cymer i geisio perswadio Gruffydd i ddychwelyd. Nid yw'n
rhyfedd mai methiant oedd y genhadaeth ac ar ddiwedd y flwyddyn
meddiannodd Llywelyn Bowys a dinistriwyd castell Gruffydd.
Rhoddwyd lloches i'r ddau gynllwynwr yn Lloegr gan Edward;
gwnaethant nifer o ymosodiadau ar diroedd Llywelyn.

Yr oedd yn anochel fod yr helynt hwn am ychwanegu at gwynion
Llywelyn. Gwysiwyd ef i ddod i Amwythig i wneud gwrogaeth yn
niwedd Tachwedd 1274 ond yr oedd rhaid i Edward ohirio'r
cyfarfod am ei fod yn wael. Ni ellir ond dyfalu beth fyddai'r
canlyniadau petai Edward heb fod yn wael a phetai Llywelyn wedi
gwneud gwrogaeth y pryd hynny. Yr oedd y brenin a'r tywysog
mewn cysylltiad â'i gilydd o hyd ond nid oedd presenoldeb y ddau
gynllwynwr yn Lloegr dan nawdd y brenin yn llawer o help i'r
achos. Gwysiwyd Llywelyn eto i wneud gwrogaeth yng Nghaer ar
22 Awst 1275 a chynigiodd Edward drwydded deithio iddo.
Ymgynghorodd â'i gyngor a chynghorwyd ef i beidio â mynd am
fod y brenin yn rhoi lloches i Ddafydd a Gruffydd. Fe'i gwysiwyd
deirgwaith yn rhagor, i Westminster yn Hydref 1275, i Gaerwynt
yn Ionawr 1276 ac i Westminster yn Ebrill 1276; methodd ddod,
gan anfon esgus, bob tro.

Erbyn hyn yr oedd gan Lywelyn gŵyn arall. Ar adeg ei
gynghrair â Simon de Montfort ddeng mlynedd cynt yr oedd wedi
trefnu priodi Eleanor, merch Simon, a oedd ar y pryd yn blentyn
tair ar ddeg oed. Yr oedd Eleanor yn awr yn dair ar hugain ac
adfywiwyd y cynllun. Y mae'r briodas yn codi cwestiwn diddorol.
Y mae'n amlwg fod Llywelyn yn tynnu at hanner cant erbyn hyn ac
y mae'n anodd deall pam nad oedd ef eisoes wedi priodi a
chynhyrchu etifedd i etifeddu ei dywysogaeth. Y mae'n bosibl ei
fod wedi ceisio sicrhau teyrngarwch Dafydd trwy ei dderbyn fel ei
etifedd. Os yw hyn yn wir, y mae'n bosibl ei fod yn esbonio
adnewyddiad ei ddiddordeb yn Eleanor de Montfort yn 1274. Y
mae'n bosibl hefyd fod marw mam Eleanor y pryd hynny wedi
hwyluso'r briodas ond mae deng mlynedd yn ymddangos yn
gyfnod hir iawn, yn arbennig wrth gofio y byddai dwy flynedd ar
bymtheg neu ddeunaw yn oedran digon hen i Eleanor briodi.

representatives to Powys to discuss matters but after being welcomed they were locked in a dungeon and that night Gruffydd fled to join Dafydd in England. The abbot and the prior of Cymer were sent to try to persuade Gruffydd to return. Not surprisingly, the mission was a failure and at the end of the year Llywelyn occupied Powys and destroyed Gruffydd's castle. The two conspirators were now granted asylum in England by Edward and they made several raids on Llywelyn's lands.

This affair was bound to add to Llywelyn's grievances. He had been summoned to do homage at Shrewsbury at the end of November 1274 but Edward had to postpone the meeting because of illness. One cannot help wondering if things would have turned out differently if Edward had not been ill and Llywelyn had done homage. The king and the prince were still in touch with each other but the presence of the two plotters in England under royal protection did not help matters. Llywelyn was summoned again to do homage at Chester on 22 August 1275 and Edward offered him a safe-conduct. He consulted his council who advised him not to go because the king was sheltering Dafydd and Gruffydd. He was summoned three more times, to Westminster in October 1275, to Winchester in January 1276 and to Westminster in April 1276; each time he failed to appear and sent excuses.

By this time Llywelyn had another complaint. At the time of his alliance with Simon de Montfort ten years earlier he had arranged to marry Simon's daughter Eleanor who was then a child of thirteen. Now Eleanor was twenty-three and the plan was revived. The marriage raises an interesting question. Llywelyn must by now have been in his late forties and it is difficult to understand why he had not yet married and produced an heir to inherit his principality. It is possible that he may have tried to secure Dafydd's loyalty by making him his heir and if this were the case it may explain the renewed interest in Eleanor de Montfort after Dafydd's desertion in 1274. It is also possible that the death of Eleanor's mother at this time may have made things easier but ten years does seem a very long wait, especially when one remembers that Eleanor would have been old enough to marry at seventeen or eighteen.

Y mae adwaith Edward i'r briodas yn awgrymu bod y cynllun wedi ei adfywio; petai'r dyweddïad gwreiddiol yn dal mewn grym, yna'n ddiau fe fyddai ef yn gwybod hynny. Yr oedd yn gam annoeth i Lywelyn mewn llawer ffordd. Yr oedd enw de Montfort ynddo'i hun yn ddigon i atgoffa llawer yn Lloegr am holl chwerwder y rhyfel cartref. Yr oedd gan Edward reswm personol hefyd dros gasáu holl deulu de Montfort gan fod Guy, brawd Eleanor, wedi llofruddio ei gefnder Henry o Almain yn yr Eidal yn 1271. Y mae rhai wedi awgrymu bod y briodas yn rhan o gynllun ar ran Llywelyn i atgyfodi'r blaid farwnol yn Lloegr ond y mae'n bur debyg mai'r sefyllfa wleidyddol yng Nghymru oedd y rheswm. Os oedd brad Dafydd wedi peri bod cael etifedd yn fater o bwys, yna fe fyddai'n rhaid i Lywelyn gael hyd i wraig ar frys. Os oedd am gryfhau ei safle fel tywysog, y peth callaf fyddai dewis gwraig o'r tu allan i Gymru. Yr oedd ei ewythr a'i daid wedi priodi gwragedd Eingl-Normanaidd, a manteisio ar gytundeb a oedd eisoes mewn bod oedd y cam naturiol. Priodwyd Llywelyn ac Eleanor yn Ffrainc trwy ddirprwy ac ar ddiwedd 1275 cychwynnodd hi am Gymru yng nghwmni ei brawd Amaury. Ger ynysoedd Scilly cipiwyd ei llong gan longau o Fryste; nid damwain oedd y cipio a chyn hir yr oedd Eleanor yn nalfa'r brenin yng nghastell Windsor.

Dyma'r sefyllfa yn 1276. Yr oedd gan Lywelyn ac Edward gwynion pendant ac, yn wir, yr oedd gan y naill a'r llall resymau da dros ei safiad. Yr oedd Llywelyn wedi cytuno yng Nghytundeb Trefaldwyn i wneud gwrogaeth i frenin Lloegr. Gwnaethai wrogaeth i Henry III ond pan fyddai brenin farw yr oedd yn rhaid ei hail-wneud i'w olynydd. Gwyddai Llywelyn hyn cystal â neb; ni wadodd ef erioed hawl Edward i wrogaeth. Ond methodd ei gwneud ar bum gwahanol achlysur. Yr oedd ei dywysogaeth a'r cwbl a berthynai iddi ganddo ef, ond nid oedd gan Edward ei wrogaeth. Yr oedd gan Edward bob hawl i gwyno dan yr amgylchiadau; Llywelyn a geisiasai gytundeb yn y lle cyntaf, wedi'r cwbl.

Cwynion pennaf Llywelyn oedd presenoldeb Gruffydd ap Gwenwynwyn a Dafydd yn Lloegr a herwgipio ei wraig. Ni allai deimlo'n ddiogel tra oedd y ffoaduriaid yn gallu dwyn cyrchoedd yng Nghymru a theimlai y dylai Edward, fel ei ben-arglwydd, eu hanfon yn ôl. Byddai'n gwneud gwrogaeth ar unwaith pe unionid

Edward's reaction to the marriage does suggest that the plan had been revived; if the original engagement had still been in force he would surely have known about it. In many ways it was a tactless thing to do. The very name of de Montfort was enough to remind many in England of all the bitterness of civil war. Edward also had a personal reason for hating the house of Montfort since Eleanor's brother Guy had murdered his cousin Henry of Almain in Italy in 1271. Some have suggested that the marriage was part of a plan by Llywelyn to revive the baronial party in England but a more likely explanation may be the political situation in Wales. If Dafydd's treason had made the provision of an heir an urgent matter, Llywelyn had to find a wife quickly. If he was trying to strengthen his position as prince he would be well-advised to find one outside Wales. His uncle and his grandfather had both married Anglo-Norman wives and the most natural thing to do would have been to take advantage of an existing agreement. Llywelyn and Eleanor were married in France by proxy and at the end of 1275 she set out for Wales, escorted by her brother Amaury. Off the Isles of Scilly her ship was captured by ships from Bristol; the capture was not an accident and Eleanor was soon in royal custody in Windsor castle.

This was the situation in 1276. Both Llywelyn and Edward had definite grievances and in fact each had good reasons for the stand he took. Llywelyn had agreed in the Treaty of Montgomery to do homage to the king of England. He had done it to Henry III but when a ruler died homage had to be done again to his successor. Llywelyn knew this as well as anyone and he never questioned Edward's right to homage. But he had failed to do it on five separate occasions. He had his principality and everthing that went with it but Edward did not have his homage. Edward had every right to complain in the circumstances; after all, it was Llywelyn who had sought a settlement in the first place.

Llywelyn's main complaints were the presence of Gruffydd ap Gwenwynwyn and Dafydd in England and the detention of his wife. He could not feel safe while they were able to make raids into Wales and he felt that Edward, as his overlord, should hand them over. Once his grievances were remedied he would do homage; he

ei gam; dywedodd hyn ym Medi 1275 mewn llythyr at y Pab
Gregory X. Ond fel tywysog annibynnol nid oedd yn barod i'w
gwneud ond yn y man traddodiadol ar y ffin yn Rhyd Chwima.
Hwyrach y byddai'n fodlon ystyried Caer neu Groesoswallt ond
nid Westminster; yr oedd disgwyl hyn yn afresymol. Mewn geiriau
eraill, dymunai Llywelyn barch i'w safle fel tywysog Cymru gan
Edward; yn wir, y mae'n debyg fod rhyw arwydd cyhoeddus o
barch yn angenrheidiol i'w safle yn ei dywysogaeth. Taerodd y
tywysog nad oedd ond wedi atal ei wrogaeth; nid oedd ef erioed
wedi ei gwrthod. Ond gwrogaeth oedd sail y berthynas
ffiwdalaidd; ni cheid unrhyw berthynas hebddi. Nid Edward oedd
ei ben-arglwydd nes iddo wneud gwrogaeth iddo ac felly nid oedd
rhaid iddo anfon y cynllwynwyr yn ôl. Byddai'n rhaid i Edward
dderbyn amodau Llywelyn cyn i'r tywysog wneud gwrogaeth;
byddai'n rhaid i Lywelyn wneud gwrogaeth cyn i Edward ystyried
ei gwynion.

Ceisiwyd trafod y broblem am y tro olaf. Afonwyd archddiacon
Caergaint i weld Llywelyn a chynigiodd hwnnw wneud gwrogaeth
yn Nhrefaldwyn neu Groesoswallt pe bai'r brenin yn cadarnhau'r
cytundeb a dychwelyd ei wraig. Nid oedd yr amodau hyn yn
dderbyniol. Ni ruthrodd Edward i ryfel ond yn awr ni ellid osgoi
ymladd; cyhoeddwyd y rhyfel ar 12 Tachwedd 1276. Yr oedd yr
ymgyrch yn enghraifft berffaith o'i math; parhaodd am ddeuddeng
mis ac fe gostiodd £23,000 i Edward. Meddiannwyd gogledd
Powys gan fyddin o Gaer a thiroedd y canolbarth gan un o
Drefaldwyn; sicrhawyd yr afael frenhinol ar Ddeheubarth gan
fyddin o Gaerfyrddin. Ymunodd Edward ei hun â'r ymgyrch yn
ystod haf 1277: erbyn hyn adfeddiannwyd holl enillion Llywelyn
yn y mers. Symudodd y brenin o Gaer ar hyd arfordir gogledd
Cymru a chipiwyd Môn a'i chynhaeaf gan lynges frenhinol; felly y
difeddiannwyd Gwynedd o'i chyflenwad bwyd. Cymododd pob un
o'r arglwyddi Cymreig ag Edward; yr oedd tywysogaeth Llywelyn
wedi diflannu yn llwyr.

Disgrifiwyd y fyddin frenhinol, a gynhwysai lawer o Gymry, fel
'y fyddin orau, yn ôl pob tebyg, o ran rheolaeth ac arweiniad a
welwyd ym Mhrydain er y goncwest Normanaidd'; gellir gweld
medr Edward fel cadfridog yn y ffordd y trefnodd ef ei luoedd. Tra

said this in a letter to Pope Gregory X in September 1275. But as an independent prince he would only do it at the traditional place on the border, the ford of Montgomery. He might be willing to consider Chester or Oswestry but to expect him to do it at Westminster was unreasonable. In other words, what Llywelyn wanted from Edward was respect for his position as prince of Wales; indeed, such public respect was probably necessary to protect his standing in his principality. But although he argued that he had never refused to do homage but had only witheld it, the fact remained that without it there was no relationship. Until homage was done Edward was not his overlord and did not therefore have to return the plotters. Llywelyn would do nothing until Edward had met his conditions and Edward would do nothing until homage had been done.

There was a last attempt to negotiate. The archdeacon of Canterbury was sent to see Llywelyn who offered to do homage at Montgomery or Oswestry if the king would confirm the treaty and return his wife. These conditions were not acceptable. Edward had not rushed into war but conflict could not now be avoided and on 12 November 1276 war was declared. The campaign was a model of its kind; it took twelve months and it cost Edward £23,000. An army from Chester occupied northern Powys and one from Montgomery the middle march; a force from Carmarthen dealt with Deheubarth. Edward himself joined the campaign the following summer by which time all Llywelyn's conquests in the march had been recaptured. The king advanced from Chester along the coast and a royal fleet captured Anglesey and seized the harvest, thus depriving Gwynedd of its food supply. Llywelyn's principality had literally melted away as every one of the Welsh lords made his peace with Edward.

The royal army, which contained many Welshmen, had been described as 'probably the best controlled and best led army seen in Britain since the Norman conquest' and Edward's skill as a military commander can be seen in the way he handled his forces. As he

symudai ef ymlaen, dechreuwyd adeiladu cestyll newydd yn
Aberystwyth, i reoli Ceredigion, ac yn y Fflint a Rhuddlan i
atgyfnerthu'r afael frenhinol ar y Berfeddwlad. Tra symudai'r
byddinoedd yn eu blaen, torrwyd y coedwigoedd a allai roi cysgod
i'r Cymry a chliriwyd y ffyrdd. Ymgyrch enghreifftiol ym mhob
ffordd oedd hwn; tybed a oedd Edward wedi darllen *Disgrifiad o
Gymru* Gerallt Gymro, a ysgrifennwyd ar ddiwedd y ddeuddegfed
ganrif, gan yr ymddengys fod y brenin wedi dilyn i'r lythyren y
cyngor a roddodd Gerallt i unrhyw frenin o Loegr a ddymunai
orchfygu'r Cymry.

Yr oedd Llywelyn wedi colli'r rhyfel ac fe wyddai hynny. Yr
oedd gwendidau gwleidyddol a milwrol ei dywysogaeth yn amlwg
i bawb. Gorfodwyd iddo ymostwng ac ar 9 Tachwedd 1277
derbyniodd delerau Edward yng Nghytundeb Aberconwy. Yr oedd
y telerau yn llym. Ni chadwodd ond y tiroedd a oedd yn ei feddiant
ef a'i frawd ar ôl Cytundeb Woodstock ddeng mlynedd ar hugain
cynt. Fe gollodd wrogaeth yr arglwyddi Cymreig i gyd oddi eithr
pump â'u tiroedd y tu mewn i ffiniau Gwynedd; yr oedd pedwar
ohonynt yn Edeirnion a fu'n rhan o Bowys hyd ddechrau'r drydedd
ganrif ar ddeg. Fe ildiodd bob hawl i'r Berfeddwlad ac i'w holl
enillion y tu allan i Wynedd; aeth y tiroedd hyn yn ôl i feddiant eu
cyn-arglwyddi Eingl-Normanaidd. Yr oedd ei frawd Owain, a
garcharwyd er 1255, am gael ei ryddhau; câi Owain ddewis rhwng
cymodi â Llywelyn a sefyll ei brawf. Fe ddewisodd gymodi;
rhoddwyd tiroedd yn Llŷn iddo. Yr oedd nifer o arglwyddi eraill o
Wynedd a oedd wedi cefnogi Edward i'w rhyddhau o garchar.

Cadwodd Llywelyn deitl tywysog Cymru er cymaint y
lleihawyd maint ei dywysogaeth. Ni châi gadw Môn ond am
gyfnod ei oes ei hun oni châi blant. Cytunodd dalu holl ôl-
ddyledion y dreth mewn rhandaliadau blynyddol o 500 o farciau ac
addawodd dalu rhent blynyddol o 1000 o farciau am Fôn a dirwy o
£50,000 am faddeuant y brenin. Fe'i hesgusodwyd rhag talu'r
rhent am Fôn a'r ddirwy ar unwaith; golygai hyn nad oedd rhaid
iddo dalu costau'r ymgyrch brenhinol. Yn wir, ni fyddai byth wedi
medru talu dirwy mor enfawr; y mae'n debyg fod Edward wedi ei
chynnwys yn y cytundeb er mwyn dangos ei haelioni trwy esgusodi
Llywelyn rhag ei thalu. Pan ddaethpwyd i drafod y tiroedd y tu
allan i'r Berfeddwlad a gipiwyd gan eraill, cytunodd y brenin

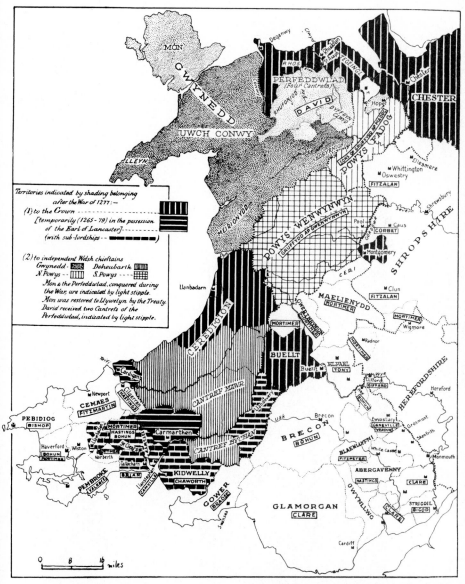

Territories indicated by shading belonging
after the War of 1277:—
(1) to the Crown ....
[temporarily (1265-79) in the possession
of the Earl of Lancaster] ....
(with sub-lordships - - - - - - - - -)

(2) to independent Welsh chieftains
Gwynedd - -   Deheubarth
N. Powys - -   S. Powys - - - -

Mon & the Perfeddwlad, conquered during
the War, are indicated by light stipple.
Mon was restored to Llywelyn by the Treaty.
David received two Cantrefs of the
Perfeddwlad, indicated by light stipple.

William Rees, *An Historical Atlas of Wales*

Cymru yn 1277: Cytundeb Aberconwy

Wales in 1277: the Treaty of Aberconwy

Olion Castell Dolforwyn yn 1786
The remains of Dolforwyn Castle in 1786

Llyfrgell Genedlaethol Cymru
National Library of Wales

moved forward work was begun on new castles at Aberystwyth to control Ceredigion and at Flint and Rhuddlan to strengthen the royal hold on the Four Cantrefs. As the armies advanced, woods which might have given cover to the Welsh were cut down and roads cleared. Altogether it was a textbook campaign and one cannot help wondering if Edward had read Gerald of Wales's *Description of Wales,* written at the end of the twelfth century, since he seems to have done everything that Gerald had advised any English king who wished to subdue the Welsh to do.

Llywelyn was beaten and he knew it. The political and military weaknesses of his principality were all too apparent. He was forced to submit and on 9 November 1277 he accepted Edward's terms in the Treaty of Aberconwy. The terms were harsh. He only kept the territory which he and his brother had held after the Treaty of Woodstock thirty years earlier. He lost the homage of all the Welsh lords apart from the five whose lands lay within the borders of Gwynedd; four of these were in Edeirnion which had been part of Powys until the beginning of the thirteenth century. He gave up all claim to the Four Cantrefs and to all his conquests outside Gwynedd; these now returned to their former Anglo-Norman lords. His brother Owain, who had been imprisoned since 1255, was to be released and given the choice of being reconciled with Llywelyn or standing trial. He chose reconciliation and was given lands in Llŷn. A number of other lords from Gwynedd who had supported Edward were also to be released from prison.

Llywelyn retained the title of prince of Wales although his principality was much reduced. He would only retain Anglesey for life unless he had children. He agreed to pay all the tribute that he still owed in annual instalments of 500 marks and he also promised to pay an annual rent of 1,000 marks for Anglesey and a fine of £50,000 for the king's forgiveness. He was excused payment of the Anglesey rent and the fine at once which meant that he did not have to pay the costs of the royal campaign. In fact he would never have been able to pay such a massive fine and it may only have been included in the treaty to enable Edward to show his generosity by excusing payment. As for the lands outside the Four Cantrefs which had been seized by others, the king agreed that justice would

wneud cyfiawnder yn ôl cyfraith ac arferion yr ardal. Trechwyd
Llywelyn ond ni ddinistriwyd ef. Yr oedd yn dywysog Cymru ac
yn llywodraethwr annibynnol yn nhiroedd ei hynafiaid o hyd. Y
mae'n anodd credu bod ar Edward eisiau ei ddinistrio; dysgu gwers
iddo a'i berswadio i fod yn rhesymol ac adfer perthynas sefydlog
oedd ei fwriad.

Ond pam y digwyddodd hyn oll? Yr oedd Llywelyn wedi ennill
cytundeb a oedd yn hollol foddhaol iddo yn 1267 ond nid oedd hyn
ond y cychwyn. Ei angen pennaf oedd amser i atgyfnerthu seiliau ei
awdurdod yng Nghymru ond nid oedd yr amser hwn ar gael.
Collasai yr arglwyddi Cymreig eraill eu hannibyniaeth
flynyddoedd cynt. Eu hunig ddewis erbyn 1267 oedd y dewis
rhwng dau ben-arglwydd, sef brenin Lloegr a thywysog Cymru er
nad oedd hyn yn hollol amlwg iddynt bob amser. Ond yr oeddynt
hwy yn ddynion balch a'u hynafiaid yn frenhinoedd, ac y mae'n
rhaid eu bod wedi teimlo'n chwerw am ben-arglwyddiaeth
tywysog Gwynedd a hwnnw'n ddim mwy nag un ohonynt hwy. Yr
oedd yn hawdd iawn sôn am fanteision tywysogaeth Cymru ond y
mae'n debyg mai rhyw fath o Wynedd ar raddfa fawr a oedd wedi
tyfu ar eu traul oedd y dywysogaeth hon iddynt hwy. Pan ddaeth
goresgyniad Edward, ymddangosai'r brenin i lawer ohonynt fel
gwaredwr a fyddai'n adfer eu hawliau traddodiadol. Yr oedd
Llywelyn wedi ennill eu gwrogaeth ond tasg anodd oedd cadw eu
teyrngarwch. Bu'n rhaid iddo ennyn parchedig ofn i gadw eu
teyrngarwch ond byddai mewn perygl o golli eu hewyllys da wrth
wneud hyn. Hon oedd y broblem a wynebai unrhyw lywodraethwr
Cymreig uchelgeisiol; fe wynebai Lywelyn am ei fod yn ceisio creu
brenhiniaeth Gymreig lle nad oedd y fath beth wedi bod o'r blaen.
Y mae hyn yn esbonio pam y methodd gadw teyrngarwch yr
arglwyddi Cymreig pan ddaeth yr argyfwng; nid oedd un ohonynt
o'i blaid ef yn 1276–7.

Dywedwyd am Gytundeb Trefaldwyn 'na seiliwyd mohono ar
graig ond ar dywod' ac, yn sicr, nid oedd heb ei wendidau. Dicter
yr arglwyddi Cymreig oedd un ohonynt; gwendid arall oedd y
ffaith fod Llywelyn wedi ennill tiroedd yn y mers ar draul yr
arglwyddi Eingl-Normanaidd yno. Yr oedd llawer o'r arglwyddi
hyn, megis Roger Mortimer, yn ddynion o bwys yn Lloegr ac nid
oeddynt hwy yn barod i dderbyn colli eu tiroedd am byth.

be done according to the laws and customs of the district concerned. Llywelyn had been defeated but he had not been destroyed. He was still prince of Wales and an independent ruler in his ancestral lands. It is highly unlikely that Edward wished to destroy him; what he wished to do was to teach him a lesson, to make him see reason and to restore a stable relationship.

But why had all this happened? Llywelyn had gained the settlement he wanted in 1267 but this was only a beginning. What he needed more than anything else was time to strengthen his position within Wales and time was what he did not have. The other Welsh lords had long since lost their independence. The only choice open to them by 1267 was a choice of overlord between the king of England and the prince of Wales although they did not always realise this. But they were proud men whose ancestors had been kings and they must have resented the overlordship of the ruler of Gwynedd who was, after all, one of them. A Welsh principality was all very well but to them it must have looked very like a greater Gwynedd which had grown at their expense. When Edward's invasion came he appeared to many of them as a liberator who would restore their traditional rights. Llywelyn had won their homage but he had a hard task keeping their loyalty. To keep it he had to make himself feared and respected but in doing so he would lose any goodwill which he might have had. This was the problem which faced any ambitious Welsh ruler and in Llywelyn's case it arose because he was trying to create a Welsh kingship where none had existed before. This explains why he failed to keep the loyalty of the Welsh lords when the crisis came; not one of them supported him in 1276–7.

It has been said of the Treaty of Montgomery that it was founded 'not on rock but on sand' and it certainly had weaknesses. The resentment of the Welsh lords was one of these; another was the fact that Llywelyn's conquests in the march had been won at the expense of the Anglo-Norman lords there. Many of these, like Roger Mortimer, were men of standing in England and they were not prepared to see their lands lost for ever. Llywelyn himself has

Cyhuddwyd Llywelyn ei hun yn aml o fod yn or-hyderus ar ôl 1267. Awgrymwyd ei fod wedi camddeall y sefyllfa wleidyddol yn Lloegr a meddwl y medrai herio Edward fel yr oedd wedi herio Henry III. Y mae rhai wedi dadlau y dylai fod wedi cydnabod bod Edward yn fwy grymus nag ef a derbyn hynny. Efallai bod hyn yn wir, ond y mae'n rhaid ystyried safle'r ddau lywodraethwr yn eu gwledydd eu hunain i ddeall yr argyfwng ym mherthynas Cymru a Lloegr ar y pryd.

Gweithiodd Llywelyn yn galed iawn i gael Cytundeb Trefaldwyn. Talu'r dreth a gwneud gwrogaeth oedd ei ran ef o'r fargen. Gwnaeth y ddau beth i Henry III a disgwyliai y byddai'r brenin yn cadw ei ran yntau o'r cytundeb. Dechreuodd pethau yn wael. Yn ei farn ef, ef oedd biau gwrogaeth Gruffydd ap Rhys yn ôl y cytundeb ond bu rhaid iddo ymladd yn erbyn iarll Gloucester. Yr oedd ymgais y rhaglawiaid i'w atal rhag adeiladu Dolforwyn yn ymosodiad ar ei hawliau yn ei dywysogaeth ei hun. Ac yna fe ddaeth cynllwyn 1274. Y mae'n hawdd dweud y dylai ef fod wedi gwneud gwrogaeth yn gyntaf cyn trafod dychwelyd y cynllwynwyr. Ond yr oedd rhaid iddo ystyried ei safle yng Nghymru. Yr oedd dau o'i arglwyddi pennaf, a'i frawd ei hun yn un ohonynt, wedi ceisio ei ladd. Yr oeddynt wedi ffoi i Loegr lle yr oeddynt yn byw dan nawdd Edward. Y mae'n bur debyg fod Llywelyn yn gwybod yn burion nad Dafydd a Gruffydd oedd yr unig arglwyddi a deimlai'n ddig am ei ben-arglwyddiaeth. Pe gwelid bod y ddau yn ddiogel yn Lloegr, yr oedd yn bosibl y temtid eraill i ddilyn eu hesiampl; hwyrach na fyddai mor lwcus y tro nesaf. Bu'n rhaid iddo fod yn ystyfnig; nid oedd ganddo unrhyw ddewis.

Bu'n rhaid i Edward hefyd ystyried ei safle ei hun. Nid oedd ef wedi bod yn frenin yn hir. Yr oedd y deyrnas yn dal i adfer ei nerth ar ôl rhyfel cartref. Fe wnaethai lawer o elynion pan oedd yn ŵr ifanc. Cytundeb neu beidio, ni allai anwybyddu hawliau arglwyddi'r mers a oedd wedi colli eu tiroedd i Lywelyn. Yr oedd rhaid iddo ddangos i'w farwniaid ei hun ei fod yn feistr yn ei dŷ ei hun. Medrai ddadlau ei fod wedi bod yn amyneddgar iawn tuag at Lywelyn. Cytunodd Llywelyn ei hun wneud gwrogaeth yn 1267 ond yn awr gwrthodai ef ei wneud. Ni ellid osgoi'r ffaith bod y

often been accused of over-confidence after 1267. It has been suggested that he misunderstood the political situation in England and that he thought that he could defy Edward I as he had defied Henry III. Some have argued that he should have been content with what he had, recognised that Edward was far more powerful than he was, and swallowed his pride. This may be so, but to understand the crisis in Anglo-Welsh relations at this time it is necessary to consider the position of the two rulers in their own territories.

Llywelyn had worked hard to obtain the Montgomery settlement. His part of the bargain was the payment of tribute and the doing of homage. He had done both to Henry III and he expected the crown to carry out its part of the treaty. Things had got off to a bad start. He regarded the homage of Gruffydd ap Rhys as his under the treaty but he had had to fight the earl of Gloucester. The attempt by the regents to stop the building of Dolforwyn was an attack on his rights in his own principality. And then came the conspiracy of 1274. It is easy to say that he should have done homage first and then discussed the return of the plotters. But he had to consider his position inside Wales. Two of his leading lords, one of them his own brother, had tried to kill him. They had fled to England and were living there under Edward's protection. He must have known very well that there were others who resented his overlordship. If Dafydd and Gruffydd were seen to escape others might be tempted to follow their example and next time he might not be so lucky. He had to take a firm line; he had no choice.

Edward also had to consider his own position. He had not long been king. The kingdom was still recovering from a civil war. As a young man he had made many enemies. Treaty or no treaty, he could not ignore the claims of the marcher lords who had lost lands to Llywelyn. He had to show his own barons that he was master in his own house. He could argue that he had treated the prince with great patience; Llywelyn himself had agreed to do homage in 1267 but was now refusing it. There was no escaping the fact that he was,

tywysog yn ddeiliad anufudd yng ngolwg Edward. Gorfodwyd i'r ddau ddyn, felly, wneud safiad; yr oedd y naill a'r llall yn iawn o'i safbwynt ei hun. Apeliodd y ddau at yr unig awdurdod rhyngwladol yn Ewrop yr oesoedd canol, sef y babaeth. Mewn llythyr at y pab Gregory X ym Medi 1275 datganodd Llywelyn ei gwynion a gwnaeth Edward yr un peth flwyddyn yn ddiweddarach.

Yr oedd gan Lywelyn broblemau eraill. Ei berthynas ag arweinwyr yr eglwys yn ei dywysogaeth oedd un ohonynt. Yr oedd esgob Bangor yn draddodiadol yn gaplan a chyffeswr i dywysog Gwynedd ond weithiau codai anawsterau o hyn. Nid oedd perthynas y tywysog â'r esgob Richard a ymddeolodd yn 1267 bob amser yn dda iawn. Olynwyd Richard gan Einion neu Anian. Daeth Anian arall yn esgob Llanelwy yn 1268. Gŵr pigog a thanbaid ydoedd, yn frawd yn Urdd Sant Dominic ac yn berthynas pell i Lywelyn. Bu'r ddau ddyn yn weddol gyfeillgar am rai blynyddoedd ond yn hwyr neu'n hwyrach byddent yn siŵr o anghytuno. Byddai Anian yn adweithio i unrhyw arwydd o ymyrryd â hawliau'r eglwys ac yn 1273 fe gwynodd wrth y pab am y ffordd y triniai Llywelyn rai o'i denantiaid a rhai mynachlogydd. Cafwyd ychwaneg o gwynion ac fe sylweddolodd Edward mor ddefnyddiol y gallai esgob Cymreig a anghytunai â'r tywysog fod iddo ar adeg o argyfwng cynyddol ym mherthynas Cymru a Lloegr. Erbyn diwedd 1275 yr oedd Anian wedi ymuno â phlaid y brenin ac yr oedd yn bresennol yng nghyfarfod cyngor y brenin pan gyhoeddwyd Llywelyn yn wrthryfelwr.

Ymysg ei amryfal gwynion yn erbyn Llywelyn honnodd Anian fod y tywysog wedi ceisio rheoli etholiadau esgobol a cheisio trethu clerigwyr yn ogystal â gorfodi clerigwyr a gyhuddwyd o droseddau i sefyll eu prawf yn ei lysoedd. Yr oedd y tywysogion Cymreig wedi gwneud y pethau hyn i gyd yn y gorffennol ac nid oedd prinder dadleuon cyffelyb mewn gwledydd eraill; yn wir, yr oedd dadleuon o'r fath wedi codi yn Lloegr yn y gorffennol a byddent yn digwydd eto yn y dyfodol. Nid oedd Llywelyn nac Anian yn hollol gywir yn eu safiad. Ond rhoddodd protestiadau'r esgob esgus i Edward; medrodd honni mai ef oedd amddiffynwr yr eglwys Gymreig am fod tywysog Cymru, ei noddwr traddodiadol, yn esgeulus. Yn 1277 rhoddodd Llywelyn siarter i Lanelwy yn caniatáu i Anian y rhan fwyaf o'r pethau a hawliai ond yr oedd yn

in Edward's eyes, a disobedient vassal. Both men were therefore forced to take the position they took and each, in his own view, was in the right. Both appealed to the only international authority in medieval Europe, the papacy. In a letter to Pope Gregory X in September 1275 Llywelyn had set out his complaints and Edward did the same a year later.

Llywelyn had other problems as well. One of these was his relations with the leaders of the church in his principality. The bishop of Bangor was by tradition the prince of Gwynedd's chaplain and confessor but this could sometimes put him in a difficult position. The prince had not always been on the best of terms with bishop Richard who retired in 1267. He was succeeded by Einion or Anian. Another Anian became bishop of St. Asaph in 1268. He was a difficult and quick-tempered Dominican friar who was distantly related to Llywelyn. For some years the two men got on fairly well but sooner or later they were bound to clash. Anian was sensitive to anything that looked like interference with the rights of the church and in 1273 he complained to the pope about Llywelyn's treatment of some of his tenants and of some religious houses. There were further complaints and at a time of mounting crisis in Anglo-Welsh relations Edward saw just how useful a Welsh bishop who was on bad terms with the prince could be. By the end of 1275 Anian had gone over to the king and he was present at that meeting of Edward's council which declared Llywelyn a rebel.

Anian's complaints against Llywelyn included trying to control the election of bishops and trying to tax the clergy as well as insisting on having clerics who were accused of crimes tried in his courts. All these things had been done by Welsh rulers in the past and there were similar disputes in other countries; indeed, they had occurred in England in the past and were to occur again in the future. Neither Llywelyn nor Anian was entirely in the right. But what the bishop's protests meant was that Edward could claim to be the defender of the Welsh church since the prince of Wales, who ought to be its protector in his own lands, was failing in his duty. In 1277 Llywelyn granted St. Asaph a charter allowing Anian most of what he claimed, but it was too late. In the war the bishop of St.

rhy hwyr. Yn y rhyfel yr oedd esgob Llanelwy yn gadarn o blaid y brenin. Y mae'n deg dweud fod Anian wedi cweryla ag Edward yntau yn ddiweddarach.

Yr oedd Anian o Fangor yn ddyn mwy heddychlon o lawer na'i gydenw ond yr oedd ei sefyllfa yn un llawer mwy anodd. Gorfodwyd iddo ysgymuno Llywelyn a hynny'n erbyn ei ewyllys ac aeth yn alltud yn 1277. Parhaodd Llywelyn yn gyfeillgar â mynaich Urdd y Sistersiaid a'r brodyr; ymddengys fod y Mynaich Gwynion ymhlith ei gefnogwyr selocaf. Yn 1274 ysgrifennodd nifer o abadau Sistersaidd at y pab i'w amdiffyn yn erbyn cyhuddiadau Anian o Lanelwy ac i'w ganmol fel noddwr yr eglwys. Ond ar y cyfan yr oedd triniaeth y tywysog o'r esgobion yr un mor llawdrwm â'i driniaeth o'r arglwyddi Cymreig eraill. Fodd bynnag, yr oedd y byd wedi newid; nid oedd yr eglwys Gymreig mor barod yn awr i dderbyn awdurdod y tywysog ag y bu yn y gorffennol.

Y mae'n hawdd deall agwedd Llywelyn. Yr oedd esgobion Bangor a Llanelwy ymhlith dynion mwyaf blaenllaw ei dywysogaeth a bu'n rhaid i'w awdurdod drostynt hwy yn ogystal â'r arglwyddi gael ei weld yn gyhoeddus. Yr oedd cyhoeddusrwydd yn rhan hanfodol o'r gorchwyl o adeiladu ac atgyfnerthu'r dywysogaeth newydd a bu'n rhaid iddo orfodi'r esgobion yn ogystal â'r arglwyddi i'w dderbyn yn ben-arglwydd arnynt. Dymunai eu denu oddi wrth ddylanwad brenin Lloegr ac archesgob Caergaint. Ceisiodd ddelio â'r eglwys yn yr un ffordd â'i ragflaenwyr ond yr oedd yr eglwys wedi newid ac nid oedd dynion fel Anian o Lanelwy yn barod i dderbyn yr hen drefn.

Y mae'n rhaid hefyd ystyried holl fater y dreth. Ni thalodd Llywelyn ddim ar ôl Ionawr 1272. Unwaith eto, y mae'n hawdd gweld bai arno. Pe bai ef wedi ei thalu yn rheolaidd ar ôl i Edward ddod yn frenin, byddai wedi bod mewn safle cryfach. Derbyniasai delerau Cytundeb Trefaldwyn; yr oedd, felly, yn gyfrifol am dalu'r dreth. Cynigiodd symiau mawr o arian am gytundeb nifer o weithiau cyn 1267. Honnodd nad oedd ef erioed wedi gwrthod talu; yr oedd yr arian yno, yn barod i'w dalu, cyn gynted ag y cyflawnai Edward ei ran ef o'r cytundeb. Ond yr oedd Llywelyn wedi atal y rhandaliadau cyn i Henry III farw. Fe dalodd bob dimai bron o'r

Asaph was firmly on the king's side. It is only fair to add that Anian
was later to quarrel with Edward as well.

Anian of Bangor was a far more peaceable man than his
namesake but he was in a more difficult position. He was forced to
excommunicate Llywelyn but he did so with a heavy heart and in
1277 he went into exile. Llywelyn remained on good terms with the
monks of the Cistercian order and with the friars, and the
Cistercians seem to have been among his strongest supporters; in
1274 a number of Cistercian abbots wrote to the pope defending
him against the accusations made by Anian of St. Asaph and
praising him as a protector of the church. But on the whole the
prince seems to have been as hard on the bishops as he was on the
other Welsh lords. However, the world had changed and the Welsh
church was no longer as willing to accept the prince's authority as it
had been in the past.

Llywelyn's attitude was understandable. The bishops of Bangor
and St. Asaph were among the leading men in his principality and
he had to be seen to be exercising authority over them as well as
over the lords. Publicity was an essential part of the task of building
up the new principality and just as the lords had to be made to
accept him as their overlord so had the bishops. He wanted them
away from the influence of the king of England and the archbishop
of Canterbury. He tried to deal with the church as his predecessors
had done but the church had changed and men like Anian of St.
Asaph were unwilling to accept the old order.

Then there is the question of the tribute. Llywelyn paid nothing
after January 1272. Once again it is easy to criticise him. If he had
paid it regularly after Edward became king he would have been in a
stronger position. He had accepted the terms of the Treaty of
Montgomery and had therefore made himself responsible for
payment. Several times before 1267 he had offered large sums of
money for a settlement. He claimed that he had never refused
payment and that the money was there, ready to be paid, as soon as
Edward performed his part of the treaty. But payments had ceased
before Henry III died. Up to and and including 1271 he had paid

arian hyd ddiwedd 1271 ond yn 1272 ni thalodd ond £500 o'r £2,000 a oedd yn ddyledus. Y mae'n bosibl fod y ffordd y talodd randal 1271 yn arwyddocaol; yr oedd wedi talu'r holl arian yn un swm cyfan bob blwyddyn cyn hynny ond yn 1271 fe dalodd ddau randal, un yn Ebrill ac un ym Mai, ac yr oedd swm bach ar ôl o hyd. Y mae hyn yn codi cwestiwn pwysig: a fethodd Llywelyn dalu gweddill yr arian a oedd yn ddyledus dan y cytundeb am na fynnai ynteu am na fedrai?

Y mae'n rhaid i ni ystyried sefyllfa ariannol Llywelyn i geisio ateb y cwestiwn hwn. Gwelsom eisoes mai dod â chymaint o dde-ddwyrain Cymru â phosibl dan ei reolaeth oedd ei amcan cyntaf ar ôl Cytundeb Trefaldwyn. Yr oedd holl bolisi tywysogion y drydedd ganrif ar ddeg yn golygu gwneud ymgyrchoedd milwrol ar raddfa fawr ledled Cymru. Cipiodd Llywelyn lawer o gestyll a bu angen peiriannau gwarchae arno i wneud hyn. Bu'n rhaid iddo ddefnyddio'r technegau milwrol diweddaraf i ennill ei ryfeloedd. Bu'n rhaid iddo gael y fyddin orau bosibl o ran ceffylau ac arfau ac ni allai hyn ond effeithio ar economi ei dywysogaeth. Yr oedd offer rhyfel yn costio'n ddrud. Yr oedd arfwisgoedd a meirch rhyfel yn ddrud; fel y dangosodd y diweddar Keith Williams-Jones, yr oedd ceffylau yn arbennig o gostus ac yn straen ychwanegol ar adnoddau prin Llywelyn. Yn wir, aeth Mr Williams-Jones yn ei flaen i awgrymu mai anghenion ariannol y tywysog oedd yn gyfrifol am ei awydd i ychwanegu Morgannwg at ei dywysogaeth. Y mae'n debyg y byddai tiroedd ffrwythlon y Fro wedi datrys ei broblemau ariannol.

Yn sicr, defnyddid llawer mwy o arian yng Nghymru yn y drydedd ganrif ar ddeg ac yr oedd Llywelyn yn fwy na pharod i'w ddefnyddio. Telid treth i frenin Lloegr mewn gwartheg gynt; fe'i talwyd yn awr mewn arian parod. Gwelodd Llywelyn fod gan arian fanteision gwleidyddol a diplomyddol. Ar nifer o achlysuron ym mhumdegau'r drydedd ganrif ar ddeg fe gynigiodd symiau sylweddol i'r goron am gydnabyddiaeth i'w safle yng Nghymru, ac yn Pipton fe gynigiodd £20,000. Yn Nhrefaldwyn cytunodd dalu 25,000 o farciau ac ychwanegwyd swm arall o 5,000 o farciau yn ddiweddarach am wrogaeth Maredudd ap Rhys Gryg. Gwyddai Llywelyn yn iawn beth a ellid ei wneud ag arian, ond tybed a wyddai beth a allai ef ei fforddio? Y mae'n debyg nad oedd ei

practically every penny due but in 1272 he only paid £500 of the £2,000 he owed. The way he paid the 1271 instalment may be significant; in each of the previous years he had paid a single lump sum but in 1271 he paid in two instalments, one in April and one in May, and even then there was a small sum still owing. This raises the question of whether Llywelyn did not pay the rest of the money he owed under the treaty because he would not or because he could not.

To try to answer this question we have to consider Llywelyn's financial situation. We have already seen that his first target after the Treaty of Montgomery was to bring as much of south-east Wales as possible under his rule. The whole policy of the thirteenth-century princes involved large-scale military operations all over Wales. Llywelyn took many castles and to do this he needed siege-engines. To win his campaigns he had to use the most modern military techniques. He needed an army which was properly mounted and properly equipped and this was bound to affect the economy of his principality. Equipment cost money. Good armour and war-horses were expensive; as the the late Keith Williams-Jones pointed out, the latter were particularly costly and were an added strain on Llywelyn's limited resources. Indeed, Mr Williams-Jones went on to suggest that it was his financial needs that made the prince so anxious to add Glamorgan to his principality. The fertile lands of the Vale might have solved his economic problems.

There was certainly a great interest in the use of money in Wales in the thirteenth century and Llywelyn was more than ready to use it. Tribute had formerly been paid to the king of England in cattle; now it was in cash. Llywelyn saw the political and diplomatic advantages of money. Several times in the 1250s he had offered substantial sums for the recognition of his position in Wales by the crown and at Pipton he offered £20,000. At Montgomery he agreed on 25,000 marks with another 5,000 marks later for the homage of Maredudd ap Rhys Gryg. He knew what money could buy but whether he knew what he could afford is another question. His annual income at the height of his power could not have been more

incwm blynyddol pan oedd ar anterth ei awdurdod yn fwy na
£4,500 neu £5,000, os hynny. Yr oedd swm o £20,000 i'w dalu
mewn deg rhandal blynyddol, felly, yn faich trwm ac y mae'n
bosibl ei fod wedi peidio â thalu'r dreth yn 1272 am na fedrodd godi
mwy o arian yn hytrach nag oherwydd unrhyw gŵyn. Y mae'r
dystiolaeth sydd ar gael yn awgrymu ei fod wedi trethu ei ddeiliaid
i'r eithaf ac y mae'n debyg fod hyn yn un o'r rhesymau am eu
diffyg teyrngarwch pan ddaeth y rhyfel. Gallai problemau ariannol
arwain yn hawdd iawn at broblemau gwleidyddol.

Nid talu'r dreth oedd yr unig alwad ar boced Llywelyn ychwaith;
yr oedd ganddo gostau eraill hefyd. Nid oedd costau bob dydd
gweinyddu a llywodraethu ei dywysogaeth yn ysgafn. Mewn un
flwyddyn gwariwyd £174 6s 8d ar gastell Dolforwyn yn unig a bu
raid cynnal cestyll eraill. Yr oedd polisïau Llywelyn yn
uchelgeisiol ond yr oeddynt hwy hefyd yn ddrud. Y mae'n debyg ei
fod wedi methu am ei fod yn ceisio gwneud gormod ar unwaith.
Ymgymerodd â gormod o bethau na fedrai eu fforddio. Yr oedd
wedi elwa ar ei adnoddau i'r eithaf ac y mae'n bosibl fod ei bolisïau
wedi rhoi baich ar economi fregus Cymru na fedrai mo'i gynnal.
Hwyrach bod hanes trafodaethau Llywelyn â'i frawd Rhodri,
trydydd mab Gruffydd ap Llywelyn, yn enghraifft dda o'i
broblemau ariannol. Carcharwyd Rhodri gan Lywelyn ar un adeg
ond yn 1272 fe werthodd ei holl hawliau a breintiau i'w frawd am
1000 o farciau. Nid oedd Llywelyn wedi talu ond 50 o farciau iddo
erbyn 1278 ac ni thalodd ef y gweddill hyd y flwyddyn honno.
Gellir dadlau, felly, fod diffyg arian yn ogystal â gwleidyddiaeth
yn gyfrifol am gwymp tywysogaeth Llywelyn yn 1277.

IV

Y mae'n bur debyg fod Cytundeb Aberconwy yn rhyddhâd i
Lywelyn mewn rhai ffyrdd. Tyngodd lw ffyddlondeb i Edward yn
Rhuddlan ar ôl iddo gael ei ryddhau o'r ysgymuniad a osodwyd
arno ar ddechrau'r rhyfel. Gwnaeth wrogaeth yn Westminster y
Nadolig canlynol. Priododd Eleanor de Montfort yn eglwys
gadeiriol Caerwrangon ar 13 Hydref 1278; cyflwynwyd y

than £4,500 to £5,000, if that. A sum of £20,000, payable in ten annual instalments was therefore a heavy burden and he may have stopped paying in 1272, not because of any grievance but because he was unable to raise any more money. He does seem to have taxed his subjects to the limit and this may help to explain their lack of loyalty when war came. Financial problems could very easily lead to political ones.

The payment of the tribute was not the only call on Llywelyn's pocket; there were other expenses too. These were the day-to-day expenses of governing his principality and they were not light. In one year £174 6s 8d was spent on the castle of Dolforwyn alone and there were other castles to be maintained. Llywelyn's policies were ambitious; they were also expensive. It may well be that he failed because he was trying to do too much too quickly. He undertook too many things that he could not afford. His resources were stretched to the limit and his policies may have put a strain on the fragile Welsh economy which it could not bear. Another example of his financial problems may be his dealings with his brother Rhodri, the third of Gruffydd ap Llywelyn's sons. Rhodri had at one time been imprisoned by Llywelyn but in 1272 he sold all his rights and claims to his brother for 1,000 marks. By 1278 Llywelyn had only paid him 50 marks and it was not until that year that he paid the balance. It may be argued, therefore, that the causes of the collapse of Llywelyn's principality in 1277 were as much financial as political.

IV

In some ways the Treaty of Aberconwy must have come as a relief to Llywelyn. He swore allegiance to Edward at Rhuddlan after being released from the excommunication which had been laid on him at the beginning of the war. The following Christmas he did homage at Westminster. On 13 October 1278 he married

briodferch gan Edward a thalodd yntau am yr holl ddathliadau.
Gwellhaodd y berthynas wleidyddol ar unwaith; ymddengys fod
gan y ddau ddyn fesur helaeth o barch i'w gilydd ac y mae'n bosibl
fod hyd yn oed ryw elfen o gyfeillgarwch personol rhwng y ddau.

Yr oedd bywyd yn awr yn haws i Lywelyn; ni fu'n rhaid iddo
bellach bryderu am deyrngarwch yr arglwyddi eraill ac yr oedd
Gwynedd Uwch Conwy dan ei reolaeth o hyd. Nid oedd telerau
Cytundeb Aberconwy hanner mor llym â thelerau Cytundeb
Woodstock yn 1247; y mae'n bosibl fod y tywysog yn teimlo y
medrai adennill ei holl golledion rywdro yn y dyfodol. Yr oedd yn
dywysog Cymru o hyd; nid oedd y cytundeb wedi diddymu ei
dywysogaeth er iddo ei lleihau. Dechreuodd Edward adeiladu
cylch o gestyll o amgylch Gwynedd yn Aberystwyth, Llanfair-ym-
Muallt, Rhuthun, Rhuddlan a'r Fflint ond yr oedd Llywelyn wedi
cipio digon o gestyll yn y gorffennol. Yr oedd y rhandaliadau
blynyddol o 500 o farciau i dalu'r dreth yn realistig ac yn rhesymol.
Yr oedd y rhagolygon yn dda; nid oedd rheswm pam na ddylai'r
tywysog a'r brenin fyw yn heddychlon a chytûn o hynny ymlaen.
Ond ymhen ychydig dros bum mlynedd yr oedd Llywelyn wedi
marw ac yr oedd y dywysogaeth ym meddiant Edward. Sut y
digwyddodd hyn?

Y mae llawer o haneswyr ac eraill wedi ceisio esbonio
digwyddiadau 1282. Y mae rhai, fel y gwelsom yn barod, yn
cyhuddo Llywelyn o fod yn ddi-ofal ac yn anghyfrifol cyn 1277; ar
y llaw arall, y mae rhai eraill yn cyhuddo Edward o dorri ei
addewid a bod yn gwbl anonest yn y ffordd y dehonglodd ef y
cytundeb rhwng 1277 a 1282. Y mae hyn, wrth gwrs, yn esboniad
hawdd a hefyd yn esboniad dealladwy wrth ystyried hanes
diweddarach Cymru a phroblemau'r genedl trwy'r canrifoedd. Yn
ôl y farn hon, yr oedd Edward wedi penderfynu dinistrio Llywelyn
o'r dechrau gan ei orfodi i wrthryfela. Fe anwybyddodd Gytundeb
Aberconwy yn llwyr neu fe ddehonglodd ei amodau yn y ffordd
fwyaf manteisiol iddo ef ei hun. Bron na ellir dweud bod ar Edward
eisiau bod yn ddyfarnwr ar y gêm wleidyddol yn ogystal â llunio'r
rheolau iddi. Ond a yw hyn yn deg? Mewn gwirionedd, yr oedd
nifer o wahanol resymau am y gyfres o ddigwyddiadau a
arweiniodd o'r diwedd at ryfel 1282, ac nid oedd yr un ohonynt,

Eleanor de Montfort in Worcester Cathedral; Edward gave the
bride away and paid for the celebrations. Relations improved at
once; the two men seem always to have had a good deal of respect
for each other and there might even have been some degree of
personal friendship.

Life was easier for Llywelyn now; he no longer had to worry
about the loyalty of the other lords and Gwynedd west of the
Conwy was still under his rule. The terms of the Treaty of
Aberconwy were not nearly as harsh as those of the Treaty of
Woodstock had been and it may have seemed to him that he might
at some time in the future be able to recover much of what he had
lost. He was still prince of Wales; the treaty had not abolished his
principality but only reduced its size. Edward had started building a
ring of castles around Gwynedd at Aberystwyth, Builth, Ruthin,
Rhuddlan and Flint but Llywelyn had captured castles in the past.
The annual instalments of 500 marks to pay off the tribute were
realistic and reasonable. There was no reason why prince and king
should not live at peace with each other. Yet, in just over five
years, Llywelyn was dead and his principality was in Edward's
hands. How did this happen?

Many historians and others have attempted to explain the events
of 1282. Just as some accuse Llywelyn of carelessness and
irresponsibility before 1277, there are others who accuse Edward
of bad faith and dishonesty between 1277 and 1282. This is, of
course, a simple explanation and an understandable one in the light
of the later history of Wales and the nation's problems over the
centuries. According to this view Edward was determined from the
very beginning to destroy Llywelyn by forcing him into rebellion.
He ignored the Treaty of Aberconwy or twisted its terms to suit
himself. One might say that not only did he make the rules for the
game he was playing but he also claimed to be the referee. But is
this fair? There were really several reasons for the sequence of
events which led eventually to the war of 1282 and they were none

ynddo'i hun, yn ddigon o reswm dros ryfela o bell ffordd. Yn wir, y mae'n fwy na thebyg nad oedd Llywelyn nac Edward erioed yn awyddus i weld rhyfel newydd.

Edrychai Cytundeb Aberconwy fel petai'n gytundeb rhesymol ond ceid problemau serch hynny. A fyddai'r Cymry ar y tiroedd a gadwyd gan Edward yn ei feddiant ei hun yn derbyn ei reolaeth? A fyddai Dafydd yn fodlon ar ddau o bedwar cantref y Berfeddwlad ac a fyddai ef yn dygymod â'r ffaith fod Llywelyn nid yn unig yn dal i fod yn dywysog Cymru ond hefyd ei fod yn awr ar delerau da ag Edward? Edrychai'r cytundeb yn iawn ar bapur ond mater hollol wahanol oedd ei weithredu'n ymarferol. Achoswyd yr helynt mwyaf gan y cymal a ddeliai â setlo dadleuon tiriogaethol. Yr oedd y cymal ei hun yn syml iawn; dywedai fod dadleuon am dir yng Nghymru i'w penderfynu yn ôl Cyfraith Hywel a'r rhai yn y mers yn ôl cyfraith y mers. Nid oedd hyn yn beth newydd; ceid mwy neu lai yr un peth mewn nifer o gytundebau cynharach. Ond yn anffodus ni cheid goleuni ar yr achosion hynny lle'r oedd dadl ai yng Nghymru ai yn y mers yr oedd y tiroedd dan sylw; dyna wendid mawr Cytundeb Aberconwy.

Bu llawer o ddadleuon tiriogaethol ar ôl 1277; yr oedd hyn yn anochel gan fod yr arglwyddi Cymreig ac arglwyddi'r mers yn ceisio adennill y tiroedd a fu yn eu meddiant cyn cynnydd Llywelyn. Y ddadl diriogaethol bwysicaf i'r tywysog ydoedd statws cantref Arwystli yn Nyffryn Hafren Uchaf a thiroedd rhwng afonydd Dyfi a Dulas ar y ffin rhwng Gwynedd a Phowys. Dadl â'i hen wrthwynebydd Gruffydd ap Gwenwynwyn oedd hon; yn anorfod, felly, fe drodd yn chwerw. Yr oedd Arwystli yn hen asgwrn cynnen rhwng Gwynedd a Phowys; yn ddaearyddol yr oedd yn rhan o Bowys fel yr oedd holl Ddyffryn Hafren Uchaf, ond ni phenderfynwyd ei statws gwleidyddol erioed yn derfynol. Ceid dadleuon am ei safle ers dwy ganrif o leiaf; soniwyd am hawl Gwynedd yn Llyfr Domesday yn 1086. Yr oedd gan arglwyddi Arwystli berthynas glos â Gwynedd yn yr unfed ganrif ar ddeg a'r ddeuddegfed ganrif ac yr oedd y cantref yn esgobaeth Bangor yn hytrach na Llanelwy fel gweddill Powys. Ar ôl marw ei harglwydd olaf yn 1197 fe'i rheolwyd weithiau gan Bowys a weithiau gan Wynedd. Honnodd Llywelyn yn awr y dylid defnyddio Cyfraith

of them reasons which need have led to war. Indeed, it is highly unlikely that Llywelyn or Edward ever wanted war.

The Treaty of Aberconwy looked like a reasonable settlement but there were some problems. Would the Welsh in those territories which Edward kept in his own hands accept his rule? Would Dafydd be content with two of the Four Cantrefs and would he be reconciled to the fact that Llywelyn was not only still prince of Wales but was now on good terms with Edward? The settlement looked very good on paper but its practical working was another matter. What was to cause more trouble than anything else was the clause which dealt with the settlement of territorial disputes. The actual clause was very simple; it said that such disputes in Wales should be settled by Welsh law and those in the march by marcher law. This was nothing new; several earlier treaties had said much the same thing. The trouble was that nothing was said about cases where the actual dispute was over whether the land in question was in Wales or the march.

There were many territorial disputes after 1277; this was only to be expected as Welsh and marcher lords tried to recover what they had had before the rise of Llywelyn. For the prince the most important territorial issue was that of the possession of the cantref of Arwystli in the upper Severn valley and of lands between the Dyfi and Dulas rivers on the boundary of Gwynedd and Powys. This dispute was with his old opponent Gruffydd ap Gwenwynwyn, which meant that it was bound to be bitter. Arwystli was an old bone of contention; it was geographically part of Powys, as was all the upper Severn basin, but its political status had never been finally decided. Its position had been in dispute for at least two centuries, since the Gwynedd claim was mentioned in *Domesday Book* in 1086. The rulers of Arwystli had close relations with Gwynedd in the eleventh and twelfth centuries and it was in the diocese of Bangor and not in St. Asaph as was the rest of Powys. After the death of its last ruler in 1197 it was sometimes controlled by Powys and sometimes by Gwynedd. Llywelyn now claimed that, as it was part of his principality, the case should be

Hywel i farnu'r achos am fod Arwystli yn rhan o'i dywysogaeth; atebodd Gruffydd ap Gwenwynwyn ei fod ef yn arglwydd y mers a Phowys hithau yn arglwyddiaeth y mers ac felly dylid defnyddio cyfraith y mers.

Hon oedd y ddadl fawr. Yr oedd yn sicr o achosi brwydr gyfreithiol hir ond nid oedd ar unrhyw gyfrif yn rheswm dros ryfela. Ac y mae'r un peth yn wir am bob dadl arall a gododd rhwng 1277 a 1282; yr oedd y rhan fwyaf ohonynt yn ddadleuon ynglŷn â hawliau Llywelyn fel tywysog. Gellid datrys pob un ohonynt fel problem unigol yn weddol ddi-drafferth ond y mae'n amlwg eu bod wedi ymddangos yn eu crynswth i Lywelyn fel cyfres o broblemau nad oedd ef yn gyfrifol amdanynt a godai o hyd ac o hyd er gwaethaf Cytundeb Aberconwy. Ond nid oedd hyn yn sail i ryfel; ni ddangosodd Edward na Llywelyn brinder ewyllys da ac yr oedd y ddau yn awyddus i gytuno.

Yn Ionawr 1278 penodwyd comisiwn cymysg o Gymry a Saeson i glywed ac i benderfynu'r holl achosion am dir a materion eraill a oedd wedi codi yn y mers a Chymru. Yng nghyfarfod cyntaf y comisiwn cododd Llywelyn ei hawl i Arwystli ond cododd hyn yn ei dro y cwestiwn dyrys o sut i farnu'r achos. Ar ôl nifer o ohiriadau penodwyd comisiwn arall yn Rhagfyr 1280 i ymholi sut y bernid achosion rhwng tywysog Cymru a barwniaid Cymreig ac achosion rhwng y barwniaid hyn. Yr oedd rhaid i'r brenin wybod beth yn union a olygai Cyfraith Hywel pe bai achos am gael ei brofi yn ei lys yn ôl y gyfraith honno. Casglwyd tystiolaeth a gwrandawyd ar dystion mewn nifer o leoedd yng Nghymru ac ar ôl derbyn adroddiad y comisiwn penderfynodd Edward ym Mehefin 1281 y byddai'r llys yn defnyddio'r drefn gyfreithiol Seisnig.

Gwelwyd bai ar Edward yn aml am benderfyniad sy'n edrych braidd fel ymgais fwriadol i anwybyddu cyfraith ac arferion y Cymry. Ond y mae'n debyg fod y penderfyniad wedi ei seilio ar adroddiad y comisiwn. Dangosodd yr adroddiad hwn yn eglur fod llawer o newidiadau wedi bod yng Nghyfraith Hywel a'r dull Cymreig o weinyddu'r gyfraith yn y drydedd ganrif ar ddeg, yn arbennig yng Ngwynedd. I raddau, yr oedd y gyfraith Gymreig yn datblygu yn yr un ffordd â chyfraith Lloegr; cyn gynted ag y cafwyd tywysog Cymru, bu'n rhaid addasu'r gyfraith i reoli ei

tried by Welsh law; Gruffydd answered that he was a marcher lord and Powys was a marcher lordship and that marcher law should therefore apply.

This was the great issue. It had the makings of a long legal battle but it was certainly not a reason for going to war. Nor were any of the other disputes which arose between 1277 and 1282, and which were mainly to do with Llywelyn's rights as prince. They were all capable of solution but taken together they must have seemed to him to have been a succession of problems not of his making which kept on coming in spite of the Treaty of Aberconwy. But there were no grounds for war; neither Edward nor Llywelyn showed any lack of goodwill and both were anxious to reach agreement.

In January 1278 a mixed commission with both English and Welsh members was appointed to hear and settle all actions over land and other matters in the marches and Wales. At the first meeting of the commission Llywelyn put in his claim to Arwystli but this at once brought up the question of how the case was to be tried. After several postponements another commission was appointed in December 1280 to find out how actions between the prince of Wales and Welsh barons and between Welsh barons were tried. If a case was to be tried in the king's court by Welsh law the king had to know just what this involved. Evidence was collected at various places in Wales and in June 1281, after receiving the commission's report, Edward ruled that English legal procedure should be used.

Edward has often been criticised for the decision and it does rather look as if he was ignoring Welsh law and custom. But the decision could well have been based on the report of the commission. This made it clear that there had been many changes in Welsh law and procedure in the thirteenth century, especially in Gwynedd. In some ways Welsh law was developing along the same lines as English law and once a prince of Wales existed the law had to be adapted to govern his relations with his lords and their

berthynas â'i arglwyddi a pherthynas yr arglwyddi hyn â'i gilydd.
Un o'r pethau mwyaf diddorol am dystiolaeth 1281 yw'r ffordd y
mae'n dangos sut yr oedd y gyfraith yn newid i'r perwyl hwn; y
mae'n dangos hefyd fod y tywysogion yn defnyddio'r un drefn yn
eu huchel lys â'r hyn a ddatblygodd yn Lloegr. Gellir deall y
rheswm am benderfyniad Edward felly; y mae'n debyg nad oedd
llawer o wahaniaeth rhwng y drefn gyfreithiol a ddefnyddid yn llys
y tywysog a'r hyn a ddefnyddid yn llysoedd y brenin. Yr oedd
Llywelyn ac Edward mewn cysylltiad â'i gilydd ar hyd yr amser
ynglŷn â'r dadleuon eraill, ac er bod yr oedi yn amlwg yn straen ar
amynedd y tywysog, ni cheid unrhyw awgrym y byddai'r
trafodaethau yn mynd i'r gwellt.

Cyfnod o ddadleuon cyfreithiol hirwyntog a mân ymrysonau
oedd y blynyddoedd rhwng 1277 a 1282. Fel y dywedodd gwraig
Llywelyn mewn llythyr at Edward, teimlai'r tywysog fod y
swyddogion brenhinol lleol yn ymyrryd yn aml mewn ffordd
anghyfeillgar ac yr oedd y brenin, er ei holl ewyllys da, yn bell i
ffwrdd. Ond nid oedd siom a diffyg amynedd Llywelyn yn ddigon
i'w gymell i wrthryfela ac yn 1281 fe wnaeth gynghrair â Roger
Mortimer; y mae'n debyg na fyddai wedi gwneud y fath beth pe
bwriadai ryfela yn erbyn y brenin ar y pryd. Pan ddaeth y rhyfel, ni
ddechreuodd yng Ngwynedd ac nid Llywelyn oedd yn gyfrifol am
ei gychwyn. Fe ddechreuodd yn y Berfeddwlad lle'r oedd dau
gantref dan reolaeth Edward a dau ym meddiant Dafydd; i geisio
esbonio cychwyn y rhyfel y mae'n rhaid i ni ystyried Dafydd yn
hytrach na Llywelyn.

Yr oedd y Berfeddwlad wedi bod dan lywodraeth frenhinol o'r
blaen ac y mae'n debyg fod llawer o'i thrigolion yn cofio rheolaeth
Geoffrey de Langley a'r modd yr achubwyd hwynt gan Lywelyn.
Yr oedd arglwyddi'r mers wedi dysgu ers blynyddoedd mai Cymry
oedd llywodraethwyr gorau'r Cymry ond y mae'n debyg fod
Edward yn awyddus i gadw ardal sensitif dan reolaeth swyddogion
profiadol y gellid dibynnu arnynt. Ond nid oedd y rhain yn deall y
ffordd Gymreig o fyw na chymhlethodau arferion y Cymry.
Dangosodd swyddogion y brenin ddiffyg parch i'r arferion
traddodiadol hyn a diffyg tact hefyd yn ôl pob tebyg. Bu'r

relations with each other. One of the most interesting things about the 1281 evidence is that it shows how the law was changing in this way; it also shows that in their high court the princes were using the same kind of procedure as had developed in England. Thus one can understand why Edward acted as he did; there was probably little difference between the procedure used in the prince's court and that used in the king's courts. As for the other disputes, Llywelyn and Edward were in constant touch with each other and although the delays were obviously getting on the prince's nerves there was no hint of a breakdown in relations.

The years between 1277 and 1282 were a period of long-drawn-out legal arguments and minor disputes. As Llywelyn's wife pointed out in a letter to Edward, there seemed to be a lot of unfriendly interference by local royal officials and the king, for all his goodwill, was a long way off. But Llywelyn's irritation and frustration were not enough to make him rebel and in 1281 he made an alliance with Roger Mortimer, something he would hardly have done had he intended to go to war. The war, when it came, was not of Llywelyn's making, nor did it begin in Gwynedd. It began in the Four Cantrefs, two of which were under Edward's rule and two of which were held by Dafydd, and it is to Dafydd rather than to Llywelyn that we must look for an explanation.

The Four Cantrefs had been under royal government before and many must have remembered the rule of Geoffrey de Langley from which Llywelyn had delivered them. Marcher lords had long ago learned that Welshmen were best governed by Welshmen but Edward probably wanted to keep a sensitive area under the control of men whom he knew and trusted. Such men, however, did not understand Welsh ways and the finer points of Welsh custom. There was a lack of respect for traditional forms and usages and

swyddogion yn ddiamynedd wrth ddelio â chymdeithas yr oedd ei ffordd o fyw a'i harferion yn gwbl ddieithr iddynt.

Y mae'n debyg mai dyn siomedig oedd Dafydd. Yr oedd wedi gobeithio bod yn dywysog Gwynedd ond dinistriodd ymostyngiad Llywelyn y gobeithion hyn. Bod yn dywysog oedd ei ddymuniad mawr ac yr oedd mewn safle delfrydol i gynllunio gwrthryfel. Tra oedd tyndra ar gynnydd yn y Berfeddwlad, gallai Dafydd wthio ei hun ymlaen fel arweinydd y Cymry yno. Y mae'n bur debyg ei fod mewn cysylltiad ag arglwyddi Cymreig eraill mewn rhannau eraill o Gymru. Yr oedd y rhain hefyd wedi dechrau dysgu nad oedd mymryn mwy o annibyniaeth i'w gael dan Edward nag a geid dan Lywelyn. Cefnogodd pob un ohonynt y brenin yn 1277; disgwylient gael adfer eu hen ryddid ond yn lle hyn yr oedd mwy a mwy o ymyrryd â'u hawdurdod ar ran y swyddogion brenhinol yng Nghaerfyrddin a Chaer.

Yr oedd Llywelyn ac Edward mewn cysylltiad o hyd. Ar 2 Chwefror 1282 ysgrifennodd Eleanor, a oedd erbyn hyn yn feichiog, lythyr cyfeillgar at y brenin. Yn y llythyr protestiodd fod cwynion gwrthwynebwyr ei gŵr i bob golwg yn cael mwy o sylw na'i gwynion ef; gofynnodd am gymorth Edward. Ond yn awr, cyn i bethau fynd ymhellach, daeth datblygiad newydd syfrdanol a newidiodd bopeth. Y noson cyn Sul y Blodau 1282 ymosododd Dafydd ar gastell Penarlâg ac ymledodd y gwrthryfel newydd fel tân gwyllt trwy'r Berfeddwlad. Cipiwyd cestyll Rhuthun, yr Hôb a Dinas Brân ond llwyddodd cestyll newydd Fflint a Rhuddlan i wrthsefyll y Cymry. Cyhoeddwyd y rhyfel gan 'senedd' Gymreig a gynhaliwyd yn Ninbych; y mae'n debyg mai cyfarfod o'r arglwyddi Cymreig oedd y 'senedd' hon. Ar Sul y Blodau ymosododd arglwyddi Cymreig gogledd Powys a rhai o wŷr Gwynedd ar Groesoswallt a'i hysbeilio; yn ystod yr wythnos ganlynol bu terfysgoedd yn ne-orllewin Cymru a chipiwyd cestyll Llanymddyfri, Carreg Cennen ac Aberystwyth. Arweiniwyd y terfysgoedd hyn gan arglwyddi Cymreig a rhai o ddisgynyddion yr Arglwydd Rhys yn eu plith. Ym Mehefin trechwyd iarll Gloucester ger Llandeilo.

Y mae'n amlwg fod y gwrthryfel wedi bod yn ysgytiad i bawb. Yr oedd Edward yn Devizes yn swydd Wiltshire pan glywodd ef

probably a lack of tact. Royal officials were impatient with a community whose ways and customs they did not understand.

Dafydd was probably a disappointed man. He had hoped for Gwynedd but Llywelyn's surrender had blighted those hopes. He wanted to be prince and he was in a good position to plan a rebellion. As tension increased in the Four Cantrefs he was able to put himself forward as the leader of the Welsh community. He must at the same time have been in touch with other Welsh lords in other parts of Wales. These, too, had begun to learn that there was no more independence to be had under Edward than there had been under Llywelyn. They had all backed the king in 1277 and had expected to recover their old freedom but, like Dafydd, they found themselves suffering more and more interference from royal officials at Carmarthen and Chester.

Llywelyn was still in touch with Edward. On 2 February 1282 Eleanor, who was by now expecting a child, wrote a friendly letter to the king. In it she protested that far more attention seemed to be paid to the complaints of her husband's opponents than to his and asked Edward to help. But before matters moved any further there came a startling new development which changed the whole situation. On the night before Palm Sunday 1282 Dafydd attacked the castle of Hawarden and the new revolt swept through the Four Cantrefs. Ruthin, Hope and Dinas Brân fell but the new castles of Flint and Rhuddlan managed to hold out. A Welsh 'parliament' (probably a meeting of the Welsh lords) at Denbigh declared war. On Palm Sunday itself the Welsh lords of northern Powys and some of the men of Gwynedd had raided and plundered Oswestry and during the following week there were further outbreaks in the south-west which led to the capture of the castles of Llandovery, Carreg Cennen and Aberystwyth. These outbreaks were also the work of Welsh lords, especially some of the descendants of the Lord Rhys. The following June the earl of Gloucester was defeated at Llandeilo.

The revolt took everyone by surprise. When Edward heard the news he was at Devizes in Wiltshire. He had not expected any

amdano. Nid oedd wedi disgwyl y fath helynt; teimlai ei fod wedi bod yn arbennig o hael wrth Ddafydd. Nid oedd gan Lywelyn, ym marn y brenin, fwy o achos i gwyno na neb arall a oedd yn chwilio am gyfiawnder yn ei lysoedd. Daeth y gwrthryfel ar yr amser gwaethaf posibl. Anogid Edward gan y pab i ymuno â chroesgad ac yr oedd brenhinoedd Ffrainc, Castile ac Aragon wedi gofyn am ei gymorth. Naw diwrnod ar ôl yr ymosodiad ar Benarlâg dechreuodd y gwrthryfel yn Sicily a achosodd argyfwng mawr yn ne Ewrop ac a adwaenir fel y 'Sicilian Vespers'. Brifwyd Edward, yn arbennig gan Ddafydd. Ysgymunwyd y gwrthryfelwyr gan archesgob Caergaint; nid oedd dim cydymdeimlad â'u hachos yn Lloegr.

Ni chawn byth wybod faint o sioc oedd y gwrthryfel i Lywelyn. Y mae'n debyg na chymerodd ran ynddo ar y dechrau; gwrthryfel yr arglwyddi Cymreig y tu allan i Wynedd dan arweiniad Dafydd ydoedd ac y mae'r ffaith ei fod wedi ymledu dros gymaint o Gymru mewn wythnos yn awgrymu rhyw gynllunio ymlaen llaw. Dau arglwydd yn unig, Gruffydd ap Gwenwynwyn o Bowys a Rhys ap Maredudd yn Neheubarth, a safodd o'r neilltu. Ymunodd Llywelyn cyn hir; ni wyddom pa bryd yn union ond y mae'n debyg ei fod wedi cymryd rhan yng ngwarchaeoedd Fflint a Rhuddlan yn fuan ar ôl dechrau'r gwrthryfel. Y mae'n amlwg nad oedd ganddo unrhyw ddewis; yr oedd Dafydd wedi rhoi ei frawd mewn penbleth. Petai Edward yn galw arno i'w gynorthwyo i atal y gwrthryfel, byddai'n rhaid iddo ufuddhau, am ei fod wedi gwneud gwrogaeth i'r brenin; creai gwrogaeth berthynas ffiwdalaidd. Ond ni fedrai byth wneud rhywbeth a fyddai'n gwbl groes i'w hanes ei hun ac i holl hanes teulu brenhinol Gwynedd. Ni fedrai unrhyw dywysog Cymru droi yn erbyn ei bobl ei hun ar gais brenin Lloegr. Gallasai, efallai, sefyll o'r neilltu a gadael i'r gwrthryfel fynd ei ffordd ei hun ond pe bai'r gwrthryfel wedi methu fe fyddai ef yn cael ei felltithio am byth fel y tywysog a wyliodd frenin Lloegr yn sathru protestiadau ei gydwladwyr dan draed heb godi bys i'w helpu. Petai'r gwrthryfel yn llwyddo câi Dafydd y clod i gyd; du iawn fyddai dyfodol tywysog na ddaeth i gynorthwyo'i frawd. Yr unig ffordd i Lywelyn reoli'r sefyllfa oedd iddo'i osod ei hun ar flaen y gwrthryfel.

Bu'n rhaid i Edward symud yn gyflym. Casglwyd byddin a chynlluniwyd ymgyrch a gostiodd dros £60,000 yn y diwedd.

trouble; he felt that he had treated Dafydd particularly well and that Llywelyn had no more cause for complaint than anyone else who was seeking justice in the royal courts. It came at the worst possible time. The pope was urging him to go on crusade and the kings of France, Castile and Aragon all wanted his help. Nine days after the attack on Hawarden there began the great revolt in Sicily known as the Sicilian Vespers which caused a major crisis in southern Europe. He was particularly hurt by Dafydd's conduct. The archbishop of Canterbury excommunicated the rebels, for whom there was no sympathy at all in England.

How surprised Llywelyn was by the revolt we shall never know. He does not seem to have been involved in it at the beginning; it was a rising of the Welsh lords outside Gwynedd under Dafydd's leadership and the fact that it had spread over much of Wales within a week suggests advance planning. Only two lords, Gruffydd ap Gwenwynwyn in Powys and Rhys ap Maredudd in west Wales, stood aside. Before long he had joined; when exactly he did so we do not know but he seems to have taken part in the sieges of Flint and Rhuddlan soon after the outbreak. He really had no choice; Dafydd had put him in an impossible position. Having done homage to Edward it was his duty to assist in putting down the revolt if called upon to do so. He could never have done this; his own record and the whole history of the royal house of Gwynedd made it out of the question. No prince of Wales could turn on his own people at the request of the king of England. He could have stood aside and let the revolt take its course but if it then failed he would have been damned for ever as the prince who had watched the king of England crush his countrymen without doing anything about it. If the revolt succeeded Dafydd would take all the credit and there could be little future for a prince who had not come to his brother's aid. The only way to control the situation was to put himself at the head of the rising.

Edward had to move quickly. An army was assembled and a campaign planned; it was to cost over £60,000. He used the tactics

Defnyddiodd Edward y dacteg a fu mor llwyddiannus yn 1276–7; symudodd byddinoedd ymlaen o Gaer, Trefaldwyn a Chaerfyrddin. Yr oedd y de a'r gorllewin dan reolaeth y brenin erbyn yr hydref a gallodd Edward ganolbwyntio ar y gogledd o'i fan cychwyn yn Rhuddlan. Unwaith eto glaniodd byddin ym Môn; y tro hwn gorchmynnwyd i'r fyddin hon adeiladu pont o gychod dros Afon Menai i hwyluso ymosodiad deublyg ar Eryri. Siarsiwyd arweinydd y fyddin, Luke de Tany, i beidio â chroesi'r bont cyn i'r fyddin fawr, dan arweiniad Edward ei hun, gyrraedd Conwy.

Ond gohiriwyd yr ymgyrch brenhinol yn awr oherwydd ymgais John Pecham, archesgob Caergaint, i gyfryngu. Llugoer iawn oedd Edward; yr oedd arno eisiau sicrhau buddugoliaeth sydyn i'w fyddin ac ymostyngiad diamodol gan Lywelyn ond prin y gallai atal yr archesgob rhag ceisio cymodi. Yn Nhachwedd 1282 treuliodd Pecham dri diwrnod yng nghwmni Llywelyn yn ei lys yn Aber, ger Bangor. Cynigiwyd iarllaeth ac ystad helaeth yn Lloegr iddo ar yr amod y byddai'n ildio ei dywysogaeth i'r brenin; estynnwyd gwahoddiad i Ddafydd ymuno â'r groesgad. Methiant fu'r genhadaeth wrth reswm a gwrthodwyd y cynnig. Ni ellir gweld bai ar Pecham am geisio cyfryngu ond nid oedd yn deall y Cymry ac nid oedd yn hoff iawn o'r genedl ychwaith; prin iawn oedd ei gydymdeimlad â'u hachos.

Cytunwyd cadoediad ar gyfer ymweliad yr archesgob ond fe'i torrwyd gan Luke de Tany. Ar 6 Tachwedd fe groesodd y bont newydd dros Afon Menai ac fe'i trechwyd yn llethol. Lladdwyd llawer o aelodau'r fyddin frenhinol, gan gynnwys de Tany ei hun a dau o feibion Robert Burnell, canghellor Edward. Y mae'n bosibl mai ymgais i fanteisio ar y cadoediad ac i ymsefydlu ar y tir mawr oedd y rheswm am anufudd-dod de Tany i orchmynion y brenin.

Symudodd Llywelyn i'r de yn awr. Pan glywodd Roger Lestrange, arweinydd y lluoedd brenhinol yn Nhrefaldwyn, fod y tywysog wedi cyrraedd canolbarth Cymru, fe symudodd yn ei dro yn ei erbyn. Ar 11 Rhagfyr 1282 yr oedd Llywelyn yn amddiffyn y bont dros afon Irfon ger Llanfair-ym-Muallt. Methodd y fyddin frenhinol gipio'r bont ond fe fedrodd groesi'r afon drwy ryd gyfagos. Am ryw reswm, yr oedd Llywelyn wedi gadael prif gorff ei fyddin; pan glywodd fod y fyddin frenhinol wedi croesi'r afon

which had proved so successful in 1276–7 with armies advancing from Chester, Montgomery and Carmarthen. By autumn the south and west were under royal control and he was able to concentrate on the north, using Rhuddlan as his forward base. Once again an army was landed in Anglesey, this time with instructions to build a bridge of boats over the Menai Straits so that Snowdonia could be attacked from two sides. The commander of the force, Luke de Tany, had strict instructions not to cross the straits until the main army, under Edward's own command, had reached Conwy.

But the royal campaign was now delayed by an attempt by John Pecham, the archbishop of Canterbury, to mediate. Edward was none too enthusiastic; he wanted a quick victory and an unconditional surrender but he could hardly stop an archbishop from trying to make peace. In November 1282 Pecham spent three days with Llywelyn at his court at Aber near Bangor. Llywelyn was offered an earldom and a large estate in England if he would surrender his principality to the king while Dafydd was invited to go on crusade. Needless to say, the mission was a failure; the offer was rejected. Pecham had meant well but he did not understand or like the Welsh and he was less than sympathetic to their cause.

A truce had been agreed for the archbishop's visit but it was broken by Luke de Tany. On 6 November he crossed the Menai Straits by the new bridge and suffered a major defeat at the hands of the Welsh; many of the royal army were killed, including de Tany himself and two of the sons of Edward's chancellor Robert Burnell. De Tany may have disobeyed the king's orders and tried to take advantage of the truce to establish himself on the mainland.

Llywelyn now moved south. When Roger Lestrange, the royal commander at Montgomery, heard of his arrival in mid-Wales he moved against him. On 11 December 1282 Llywelyn was defending the bridge across the Irfon river near Builth. The royal army was unable to take the bridge but it managed to cross the river by a nearby ford. Llywelyn had left the main body of his army for some reason; when he heard that the river had been crossed he

cychwynnodd yn ôl ond cyfarfu â mintai Seisnig ar y ffordd. Trywanwyd y tywysog gan waywffon rhyw filwr Seisnig, Stephen de Frankton; wedyn y sylweddolodd hwnnw pwy yn union yr oedd wedi ei ladd. Torrwyd pen Llywelyn ac fe'i hanfonwyd i Lundain i'w arddangos ar y Tŵr; claddwyd ei gorff yn abaty Sistersaidd Cwm-hir ym Maelienydd. Yr oedd Eleanor wedi marw wrth esgor ar ferch ym Mehefin. Cafodd Edward le i'r plentyn, Gwenllian, yn lleiandy Sempringham yn swydd Lincoln a dyna lle y bu hyd ei marw yn 1337. Aeth y frwydr ymlaen dan arweiniad Dafydd ond ar 25 Ebrill 1283 cwympodd y safle Cymreig olaf, sef Castell y Bere ym Meirionnydd, a'r Mehefin canlynol fe'i trosglwyddwyd i'r lluoedd brenhinol 'gan wŷr o'i iaith ei hun'. Ar 2 Hydref fe'i dienyddiwyd mewn ffordd hynod o farbaraidd yn Amwythig.

V

Ni chawn byth wybod y gwir i gyd am farw Llywelyn. Y mae'n bosibl ei fod wedi gadael ei fyddin i gyfarfod arweinwyr lleol y Cymry. Y mae'n bosibl hefyd iddo gael ei ddenu i'r fagl gan feibion Roger Mortimer. Y mae'n bosibl fod cynnwys rhyw lythyr a ddarganfuwyd ar ei gorff wedi bwrw amheuon ar nifer o bobl bwysig yn Lloegr; ymddengys na ddatguddiwyd y wybodaeth a oedd yn y llythyr hwn. Y mae'n amlwg bod cynllwynio yn erbyn Llywelyn yng Ngwynedd; dywed un testun o'r cronicl Cymreig, *Brut y Tywysogyon*, am 1282 'ac yna y gwnaethpwyd brad Llywelyn yn y clochdy ym Mangor gan ei wŷr ef ei hun'. Dyna'r cwbl a wyddom am y cynllwyn hwn ond y mae'n bur debyg fod rhai dynion dylanwadol yng Ngwynedd a deimlai fod llywodraeth lem a thrachwantus Llywelyn yn rhy feichus iddynt hwy; ni fyddai buddugoliaeth Edward yn beth cwbl ddrwg.

Y mae'n hawdd galw dynion fel hyn yn fradwyr. Efallai eu bod yn fradwyr yn ôl ein safonau ni heddiw ond y mae'n bwysig cofio fod yr holl syniad o deyrngarwch yn wahanol yn y drydedd ganrif ar ddeg. Peth personol yn hytrach na chenedlaethol oedd teyrngarwch; yr oedd prif deyrngarwch dyn i'w arglwydd. Y mae'n bosibl fod y dynion hyn yn ystyried Llywelyn yn arglwydd

started back but on the way he ran into an English scouting party. A
certain Stephen de Frankton ran him through with his lance but
only later did he realise whom he had killed. Llywelyn's head was
cut off and sent to London to be displayed on the Tower; his body
was buried in the Cistercian abbey of Cwm-hir in Maelienydd.
Eleanor had died giving birth to a daughter the previous June. The
child, Gwenllian, was placed by Edward in the nunnery of
Sempringham in Lincolnshire where she remained until her death
in 1337. Dafydd carried on the fight but on 25 April 1283 the last
Welsh outpost, Castell-y-Bere in Meirionnydd, fell and the
following June he was handed over to the royal forces 'by men of
his own tongue'. On 2 October he was executed with great
barbarity at Shrewsbury.

V

We shall never know the full story behind Llywelyn's death. He
may have left his army to meet leaders of the local Welsh
community. He may have been lured into a trap by the sons of
Roger Mortimer. A letter found on his body may have
compromised several important people in England and its contents
seem to have been suppressed. There was certainly treachery
within Gwynedd; one text of the Welsh chronicle *Brut y
Tywysogyon* says of 1282 'and then there was effected the
betrayal of Llywelyn in the belfry at Bangor by his own men'.
Nothing else is known of this plot but there may have been
influential men in Gwynedd who found his firm rule hard to bear
and who did not see Edward's victory as the end of the world.

It is easy to call such men traitors. Perhaps by the standards of
today they were but it is important to remember that in the
thirteenth century ideas of loyalty were different. Loyalties were
personal rather than national and a man's first loyalty was to his
lord. They may have seen Llywelyn as a bad lord and therefore

gwael; yr oedd ganddynt bob hawl i droi yn ei erbyn dan y fath amgylchiadau. Os oedd Edward yn barod i barchu eu safle a'u breintiau, yr oeddynt yn barod i'w dderbyn ef; nid oedd llywodraethwr o hil wahanol yn beth anghyffredin. Wedi'r cwbl, daeth Norman yn frenin Lloegr yn 1066 a daeth Ffrancwr yn frenin Hwngari yn 1290; ceid llawer o enghreifftiau eraill yn Ewrop yr oesoedd canol. Y mae'n debyg fod Gruffydd ap Gwenwynwyn yn ymddangos i ni fel carn-fradwr ond yr oedd yn arglwydd Powys a buddiannau'r arglwyddiaeth honno yn hytrach na Gwynedd oedd ei gyfrifoldeb ef. Ac ni laddwyd Gruffydd; bu farw o henaint yn 1286. Y mae ei yrfa yn ein hatgoffa nad yw'n iawn sôn am goncwest Cymru yn 1282. Gwynedd yn unig a ddaeth i feddiant Edward; parhaodd Powys fel arglwyddiaeth y mers hyd 1536.

Yr oedd tywysogaeth Cymru hithau yn dal i fodoli. Yn 1301 fe'i rhoddwyd i'r hynaf o feibion Edward a oedd yn dal i fyw, sef Edward o Gaernarfon; yr oedd y dywysogaeth fel uned weinyddol yn hollol ar wahân i Loegr trwy gydol yr oesoedd canol. Mewn ffordd eironig, felly, yr oedd tywysogion Gwynedd wedi llwyddo; erbyn 1282 yr oedd y syniad o dywysogaeth barhaol yn ffaith ddigamsyniol. Y mae'r ffeithiau hyn yn ein helpu i ddeall beth a ddigwyddodd ond nid yw deall yn lleihau maint y trychineb. Yn 1282 lladdwyd yr unig Gymro erioed i fod yn dywysog Cymru a daeth terfyn ar annibyniaeth wleidyddol Gymreig. Cenedl na ddaeth erioed yn wladwriaeth ydoedd Cymru. Ffeithiau yw'r rhain, a ffeithiau ydynt sy'n peri bod 1282 yn dal fel y dyddiad mwyaf tyngedfennol yn ein hanes. Mewn gwirionedd, er bod gwreiddiau'r holl broblemau sy'n wynebu Cymru yn ddwfn yn ein hanes, nid yw'n hawdd olrhain y gwreiddiau hyn yn ôl i 1282. Ond er nad yw'n bosibl nac yn onest beirniadu'r drydedd ganrif ar ddeg yn ôl safonau'r bedwaredd ganrif ar bymtheg neu'r ugeinfed, gellir dweud yn ddiau bod ein greddf yn iawn yn hyn o beth. Yn ôl un o destunau *Brut y Tywysogyon* 'ac yna y bwriwyd holl Gymru i'r llawr', a chrynhowyd digwyddiadau 1282 gan y diweddar Athro Glyn Roberts fel 'diwedd yr unig ymgais ymarferol a wnaethpwyd erioed i ddatrys y broblem wleidyddol Gymreig'.

Dyna beth a welodd llawer yn 1282, a neb yn fwy na'r beirdd. Bu llawer ohonynt ymhlith cefnogwyr mwyaf selog tywysogion

turned against him, as they had every right to do. If Edward was willing to respect their position and their privileges there was nothing unusual in having a ruler of a different nationality. After all, a Norman had become king of England in 1066 and a Frenchman became king of Hungary in 1290 and there were many other examples in medieval Europe. Gruffydd ap Gwenwynwyn may seem the greatest traitor of them all to us but he was ruler of Powys and his concern was the interests of that lordship rather than those of Gwynedd. And he survived; he died of old age in 1286. His career reminds us that it is incorrect to refer to the conquest of Wales in 1282. It was only Gwynedd that came into the hands of Edward I; Powys survived as a marcher lordship until 1536.

The principality of Wales also survived. In 1301 it was granted to Edward's only surviving son Edward of Caernarfon and its administration remained entirely separate from that of England throughout the middle ages. In a way, therefore, the princes of Gwynedd had gained what they sought; by 1282 the idea of a permanent principality was a fact. All these are facts which help us to understand what happened but they do not make it any less of a tragedy. In 1282 the only Welsh prince of Wales was killed and Welsh independence came to an end. Wales was a nation which never became a state. These are also facts and it is because of them that 1282 still stands out as the most fateful date in our history. In fact, although all the problems which face Wales have their roots in history, these roots cannot easily be traced back to 1282; nevertheless although we cannot judge the thirteenth century by the standards of the nineteenth or the twentieth, our instinct is surely right. According to one version of *Brut y Tywysogyon,* 'and then all Wales was cast to the ground', and the late Professor Glyn Roberts summed up what happened as 'the end of the only practicable attempt ever made to solve the Welsh political problem'.

Many saw this in 1282, particularly the poets. Many of them had been among the keenest supporters of the princes of Gwynedd and

Gwynedd; deallent yn dda iawn beth y ceisiai'r tywysogion ei wneud. Darparodd y beirdd bropaganda wleidyddol a syniadau gwleidyddol mewn oes pan oedd dynion yn dechrau meddwl o ddifrif am y fath bethau. Cafodd Llywelyn ab Iorwerth y gefnogaeth hon gan Lywarch ap Llywelyn (Prydydd y Moch) a Dafydd Benfras, a chafodd Llywelyn ap Gruffydd yr un gefnogaeth gan Lygad Gŵr. Mynegodd geiriau Llygad Gŵr, yn anad neb, beth oedd camp Llywelyn ap Gruffydd wrth uno Cymru. A phan fu farw Llywelyn, bardd yn unig a fedrodd gyfleu'r ymdeimlad o ddiffeithwch llethol ac anobaith. Y mae cerdd Gruffydd ab yr Ynad Coch yn un o farwnadau mawr y byd:

> Poni welwch-chwi hynt y gwynt a'r glaw?
> Poni welwch-chwi'r deri'n ymdaraw?
> Poni welwch-chwi'r môr yn merwinaw – 'r tir?
> Poni welwch-chwi'r gwir yn ymgyweiriaw?
> Poni welwch-chwi'r haul yn hwylaw – 'r awyr?
> Poni welwch-chwi'r sŷr wedi r'syrthiaw?
> Poni chredwch-chwi i Dduw, ddyniadon ynfyd?
> Poni welwch-chwi'r byd wedi r'bydiaw.
> Och hyd atat-ti, Dduw, na ddaw – môr dros dir!
> Pa beth y'n gedir i ohiriaw?

Ond, ar ôl dweud hyn, sut y gallwn gloriannu Llywelyn ei hun? Ni allwn wadu ei gamgymeriadau. Er ei holl lwyddiant ac er ei holl weledigaeth ef a'i ragflaenwyr, y mae'n deg dweud ei fod wedi methu sicrhau teyrngarwch parhaol yr arglwyddi Cymreig eraill; y methiant hwn, yn anad dim, oedd y ffactor a achosodd ei gwymp. Cyn 1267 bu'n lwcus droeon oherwydd y sefyllfa wleidyddol yn Lloegr. Ar ôl 1267 yr oedd arno angen dau beth, sef amser ac arian; ni chafodd erioed ddigon o'r naill na'r llall. Ond, fel ei daid a gofiwn fel Llywelyn Fawr, saif Llywelyn ap Gruffydd yntau yn rheng flaen ein harwyr cenedlaethol. Hyd yn oed ar ôl treiddio trwy'r holl fyth, propaganda a sentimentaleiddiwch, y mae mawredd y gŵr hwn yn amlwg, y tywysog a geisiodd gyflawni gwaith ei ddau ragflaenydd drwy greu brenhiniaeth Gymreig lle nad oedd y fath beth wedi bod o'r blaen. Ef yn wir ydoedd Llywelyn ein Llyw Olaf.

understood very well what they had been trying to do. The poets provided political propaganda and political ideas in an age when men were beginning to think seriously about such things. Llywarch ap Llywelyn (Prydydd y Moch) and Dafydd Benfras had provided this support for Llywelyn ab Iorwerth, and Llygad Gŵr did the same for Llywelyn ap Gruffydd. It was Llygad Gŵr who really expressed in words what Llywelyn had done in uniting Wales. And when Llywelyn died it was a poet, Gruffydd ab yr Ynad Coch, who conveyed a sense of cosmic desolation in what is probably one of the greatest elegies in any language:

> See you not the way of the wind and the rain?
> See you not oak trees buffet together?
> See you not the sea stinging the land?
> See you not truth in travail?
> See you not the sun hurtling through the sky?
>   And that the stars are fallen?
> Do you not believe God, demented mortals?
> Do you not see the whole world's danger?
> Why, O my God, does the sea not cover the land?
>   Why are we left to linger?

Last of all, how are we to judge Llywelyn himself? No doubt he made mistakes. It is fair to say that, for all his success and for all his vision and that of those who had gone before him, he failed to secure the permanent loyalty of the other Welsh rulers and that, more than anything else, caused his downfall. Before 1267 he was often lucky in the political situation in England. After 1267 he needed time and money; he never had enough of either. But, like his grandfather who we remember as Llywelyn the Great, he stands in the front rank of our national heroes. Even when all the myth, propaganda and sentimentality is stripped away the greatness of this man who tried to complete the work of his two predecessors in creating a Welsh monarchy where none had existed before stands out. He was truly 'Llywelyn our Last Leader'.

LLYFRYDDIAETH DDETHOL : SELECT BIBLIOGRAPHY

Altschul, Michael   'The lordship of Glamorgan and Morgannwg', (T. B. Pugh, gol./ed., *Glamorgan County History* III (1971))

Davies, J. Conway   'A grant by Llywelyn ap Gruffydd (Sept. 1243)' *(N. L. W. Journal,* iii (1943))

Davies, J. Conway   *The Welsh Assize Roll (1277–1284)* (1940)

Douie, D. L.   *Archbishop Pecham* (1952)

Edwards, J. G.   *Calendar of Ancient Correspondence concerning Wales* (1935)

Edwards, J. G.   *Littere Wallie, preserved in Liber A in the Public Record Office* (1940)

Edwards, J. G.   *The Principality of Wales, 1267–1967: a study in constitutional history* (1969)

Jones, G. R. J.   'The defence of Gwynedd in the thirteenth century' *(Trans. Caernarvonshire Historical Society,* 30 (1969))

Lewis, Ceri W.   'The treaty of Woodstock, 1247: its background and significance' *(Welsh History Review,* ii (1964))

Lloyd, J. E.   *A History of Wales from the earliest times to the Edwardian Conquest* II (3ydd arg./3rd edn. 1939)

Lloyd, J. E.   'The death of Llywelyn ap Gruffydd' *(Bwletin Bwrdd Gwybodau Celtaidd/Bulletin of the Board of Celtic Studies,* V (1929–31))

Morris, J. E.   *The Welsh Wars of Edward I: a contribution to medieval military history* (1901)

Pierce, T. Jones   'Oes y tywysogion' (D. M. Lloyd, gol., *Seiliau Hanesyddol Cenedlaetholdeb Cymru* (1950))
                          'The age of the princes' (T. Jones Pierce, *Medieval Welsh Society* (1972))

Powicke, F. M.   *Henry III and the Lord Edward,* II (1947)

Powicke, F. M.   *The Thirteenth Century* (1953)

Rees, William   *An Historical Atlas of Wales from early to modern times* (3ydd arg./3rd edn., 1967)

Roderick, A. J., gol./ed. *Wales through the Ages,* I (1959)

Smith, J. Beverley   'The middle march in the thirteenth century' *(Bwletin Bwrdd Gwybodau Celtaidd/Bulletin of the Board of Celtic Studies* xxiv (1970–2))

Tout, T. F.   'Wales and the march during the Barons' Wars 1258–67' *(Collected Papers of Thomas Frederick Tout,* II (1934))

Treharne, R. F.   *The Baronial Plan of Reform, 1259–63* (1932)

Williams, Glanmor   *The Welsh Church from the Conquest to the Reformation* (1962)

Williams-Jones, Keith   *The Merioneth Lay Subsidy Roll,* 1292–3 (1976)